O CAMINHO DO SÁBIO

O CAMINHO DO SÁBIO

Verdades simples para quem complica a vida

KEVIN LEMAN

Traduzido por Cecília Eller

mundo**cristão**

Copyright © 2013 por Dr. Kevin Leman
Publicado originalmente por Revell, uma divisão de Baker Publishing Group, Northfield Publishing, Grand Rapids, Michigan, EUA.

Os textos das referências bíblicas foram extraídos da *Nova Versão Transformadora* (NVT), da Editora Mundo Cristão (usado com permissão da Tyndale House Publishers, Inc.), salvo indicação específica.

Todos os direitos reservados e protegidos pela Lei 9.610, de 19/02/1998.

É expressamente proibida a reprodução total ou parcial deste livro, por quaisquer meios (eletrônicos, mecânicos, fotográficos, gravação e outros), sem prévia autorização, por escrito, da editora.

Edição
Daniel Faria
Preparação
Esther Alcântara
Revisão
Natália Custódio
Produção e diagramação
Felipe Marques
Colaboração
Ana Luiza Ferreira

CIP-Brasil. Catalogação na publicação
Sindicato Nacional dos Editores de Livros, RJ

L563c

Leman, Kevin
O caminho do sábio : verdades simples para quem complica a vida / Kevin Leman; traduzido por Cecília Eller. - 1. ed. - São Paulo : Mundo Cristão, 2020.
128 p.

Tradução de: The way of the wise : simple truths for living well
ISBN 978-85-433-0486-1

1. Bíblia. A.T. Provérbios - Crítica, interpretação, etc. I. Eller, Cecília. II. Título.

19-60613
CDD: 223.7
CDU: 27-243.65

Categoria: Autoajuda
1ª edição: dezembro de 2020

Publicado no Brasil com todos os direitos reservados por:

Editora Mundo Cristão
Rua Antônio Carlos Tacconi, 69
São Paulo, SP, Brasil
CEP 04810-020
Telefone: (11) 2127-4147
www.mundocristao.com.br

Para todos os que questionam a Deus
e se perguntam qual é seu lugar no
emaranhado da vida.
Penso que isso inclui todos nós.

Meu filho, não se esqueça de minhas instruções;
 guarde meus mandamentos em seu coração.
Se assim fizer, viverá muitos anos,
 e sua vida será cheia de paz.
Não permita que a bondade e a lealdade o abandonem;
 prenda-as ao redor do pescoço
 e escreva-as no fundo do coração.
Então você conseguirá favor e boa reputação,
 diante de Deus e das pessoas.
Confie no Senhor de todo o coração;
 não dependa de seu próprio entendimento.
Busque a vontade dele em tudo que fizer,
 e ele lhe mostrará o caminho que deve seguir.

Provérbios 3.1-6

Sumário

Agradecimentos   11
Introdução   13

1. Palavras que causam impacto   17
2. "Jesus e Deus, Jesus e Deus, eles só falam sobre Jesus e Deus"   27
3. Jesus não é o lobo mau   41
4. Atenção, caçadores de descontos: Jesus está fora dessa   57
5. Sou todo seu — todos os 96%   69
6. Deus precisa de poucos e bons — homens e mulheres   77
7. Tu és o oleiro e eu sou o barro... mas tenho algumas sugestões a fazer   89
8. Deus não quer ser seu número um   99
9. Deus não é seu copiloto   109
10. A estrada menos percorrida... tem menos gente   117

Um registro permanente   121
Notas   125

Agradecimentos

Gostaria de expressar meu apreço por:

Duas das mulheres mais sábias que já habitaram este planeta: minha mãe, May Leman, e minha esposa, Sande.

Minha fiel editora, Ramona Cramer Tucker, que faz questão de escolher a estrada menos percorrida.

Lonnie Hull DuPont, que sempre me apoia, e Jessica English, por seu extraordinário trabalho editorial em minhas obras.

Introdução

Onde está seu coração

Sou alguém que não tinha um futuro brilhante pela frente no início da vida. Digamos que Sabedoria não era meu sobrenome, e ninguém no planeta me chamaria de sábio.

Bem, retiro o que eu disse. Muitos diriam que eu era um cara que sabia das coisas. E também um palhaço e um comediante. No último ano do ensino médio, eu tinha a matéria Matemática do Consumidor, cuja prova final propunha questões mais ou menos assim: "Jane foi até a quitanda comprar laranjas. Ela levou um dólar e voltou para casa com quatro laranjas. Quanto custou cada laranja?".

O mais engraçado (ou triste) é que nunca cheguei à prova final da matéria, porque eu literalmente coloquei o professor para correr com minhas palhaçadas. A escola me expulsou da disciplina quando o professor se demitiu e colocou um substituto para terminar o ano letivo. Em meu histórico escolar do ensino médio, não há nota ao lado de Matemática do Consumidor — há apenas um hífen.

Quando tentei entrar em mais de 160 faculdades, nenhuma aceitou minha matrícula. Finalmente, por meio de uma série de acontecimentos, fui aceito pela North Park University, em Chicago. (Na verdade, creio que eles prefeririam permanecer anônimos; seja como for, por algum milagre, acabaram me admitindo.) No entanto, para resumir a história, fui solicitado a me retirar já durante o primeiro trimestre do segundo ano de estudos.

> **Eu não queria nada com aqueles que eu via como representantes do cristianismo. Em minha opinião, eles eram estranhos, esquisitos e... bem, esses adjetivos seriam gentis para expressar o que eu pensava.**

Então vim para o Arizona, aos 19 anos, e arranjei um emprego. Claro que eu queria um cargo executivo que pagasse um excelente salário, mas a única proposta que recebi foi de zelador no hospital da cidade.

Naquela época da vida, Deus não fazia o menor sentido para mim. Eu acreditava nele? Claro, ele era o Todo-Poderoso, "o cara lá de cima". Mas não tinha a menor ligação com minha vida, e eu não queria nada com aqueles que eu via como representantes do cristianismo. Em minha opinião, eles eram estranhos, esquisitos e... bem, esses adjetivos seriam gentis para expressar o que eu pensava. Os cristãos me incomodavam muito mais do que você pode imaginar.

Mas Deus age de maneiras misteriosas. E, por trás de Deus, muitas vezes se encontra uma pessoa. Essa pessoa era minha mãe, que escreveu em minha Bíblia as palavras de Provérbios 3.1-6. Elas ficaram ali até eu abrir as Escrituras disposto a levá-las a sério.

Ao ler Provérbios 3.1-6 pela primeira vez, pensei: "Uau, quem seguir essas pedrinhas preciosas não tem como dar errado na vida". As instruções pareciam tão simples, tão diretas, que até um cara como eu seria capaz de seguir.

Quanto mais refletia sobre as palavras, mais eu me maravilhava. Percebi que elas são o mapa para uma vida só de vitórias. O rei Salomão deu um jeito brilhante de espremer dez dos princípios mais práticos e significativos da vida em seis versículos minúsculos! Não surpreende que ele tenha sido o rei mais sábio a governar Israel, muito tempo atrás! E tem mais: se você entender esses versículos, aceitá-los e transformá-los em parte de sua vida e de seu sistema de crenças, tenho certeza de que você deixará um legado surpreendente, que influenciará as próximas gerações.

É por isso que este livro compacto foi criado — para ressuscitar ou revitalizar sua vida espiritual, desvendando os segredos desses dez princípios poderosos. Ele lhe dará esperança, coragem, inspiração, uma nova perspectiva e um pouco de humor no meio do caminho, tudo isso numa obra de fácil leitura. (Se você quer ler um livro grosso, sugiro *Hawaii*, de James Michener. Recentemente, vi um homem tentando lê-lo durante um voo longo. Quando perguntei se ele achava que terminaria, em algum momento, meu companheiro de viagem sorriu e respondeu: "É claro que não, mas minha esposa queria que eu tentasse".)

Provérbios 3.1-6 é sobre quem você é, onde está seu coração, quem você pensa que Deus é e quem você deseja se tornar.

1

Palavras que causam impacto

Meu filho, não se esqueça de minhas *instruções*...
PROVÉRBIOS 3.1A

Acredito muito em momentos de ensino. Converso com pais sobre isso há anos. Às vezes, porém, somos bombardeados com tantas informações que nos esquecemos do que é importante de verdade na vida. As palavras de Provérbios 3.1-6 causam um impacto poderoso se as mantivermos na memória.

Entretanto, para aceitar a instrução, você precisa ser um aluno disposto a aprender.

Quando criança, eu não era receptivo ao ensino. Não me saía bem na escola. Talvez parte disso se deva ao fato de eu faltar às aulas sempre que podia. Minha santa mãe ia mais à escola para falar com o diretor do que eu para estudar. Minha filosofia de vida se resumia na crença de que eu só tinha valor quando conseguia chamar a atenção dos outros. Era bom em fazer as pessoas rirem e se divertirem. Quando conseguia fazer isso com sucesso, era o suficiente para me fazer feliz.

O primeiro momento de ensino de que me lembro aconteceu no último ano do ensino médio, quando uma professora me disse: "Leman, já pensou em usar suas habilidades para fazer algo positivo?". Isso me abriu os olhos. Pela primeira vez, alguém disse que eu tinha habilidades!

Outra luzinha se acendeu no mês em que meus colegas de classe começaram a contar para qual faculdade iriam. Eu disse para mim mesmo: "Sabe o que acontece? Você é um completo idiota. Está perdendo tempo. As pessoas gostam das suas gracinhas, mas você está ficando para trás".

> Consegui uma média de C- no primeiro ano da faculdade. Isso deveria ter sido prova de que existe um Deus.

Então decidi que era melhor ir para a faculdade também. Depois de lutar e implorar, consegui uma média de C- no primeiro ano da faculdade. Isso deveria ter sido prova de que existe um Deus e de que ele tinha um plano para minha vida. Especialmente porque, naquela época, era preciso se esforçar para tirar C, as notas não vinham com a facilidade com que alguns educadores as distribuem hoje.

Mas meu reinado na faculdade não durou. No segundo ano, fui convidado a me retirar.

Deus tinha mais momentos de ensino nos planos para mim. Meus pais haviam se mudado para Tucson, Arizona, então fui para lá e consegui o emprego de alto nível com o qual sempre sonhara: zelador no hospital da cidade.

Pela primeira vez na vida, senti intensamente o que é ser tratado como um cidadão de segunda classe. A princípio, eu trabalhava no prédio principal e usava um uniforme cinza-chumbo. Depois, passei a limpar o chão da ala da maternidade.

Foi surpreendente a transformação da atitude das pessoas em relação a mim. Eu vestia verde, como os profissionais da saúde, usava máscara e touca. Quando estava com esse uniforme, eu era alguém. Havia até ocasiões em que as pessoas me confundiam com um médico e me chamavam de "doutor" ou "senhor", mesmo que eu parecesse jovem demais para ser residente ou estagiário. Em casa, fiz uma pequena placa com aquelas máquinas etiquetadoras e colei na porta de meu quarto:

Kevin: Cirurgião de chão

Foram dias difíceis, pois eu não estava indo para lugar nenhum e começava a me dar conta disso. Quando me lembro dessa época, porém, percebo que Deus estava providenciando momentos de ensino que me serviriam de lição por muitos anos. Descobri que eu tinha a habilidade de transformar a limpeza em algo meio divertido. E aprendi a economizar e a gastar dinheiro com sabedoria.

Na época, eu também não fazia ideia de que trabalhar como zelador em tempo integral, ganhando 195 dólares por mês, me levaria a conhecer a pessoa que Deus usaria para colocar minha vida em ordem... e que eu a conheceria no banheiro masculino! Você precisa admitir que isso é um tanto quanto inusitado, mas descobri que, com Deus, tudo é possível.

> Eu estava ocupado lavando o sanitário masculino quando a moça mais bonita que eu já tinha visto chegou para ajudar um senhorzinho a usar o banheiro.

Resumindo a história, eu estava ocupado lavando o sanitário masculino quando a moça mais bonita que eu já tinha visto — ela era *linda* mesmo — chegou para ajudar um senhorzinho a usar o banheiro. Bem, eu era ótimo em dizer burrices, então a primeira coisa que saiu de minha boca foi uma de alta categoria. Quando os olhos de Sande e os meus se cruzaram naquele dia, perguntei:

— Você gostaria de ir à Feira Mundial comigo?

Não estou brincando. Essa foi a primeira coisa que falei para a mulher que hoje é minha esposa. A Feira Mundial estava acontecendo em Nova York e nós morávamos em Tucson, Arizona. Com um salário mensal de 195 dólares, duas passagens até Nova York era algo impossível. Sande simplesmente respondeu:

— Bem, eu não sei.

Não perdi tempo e emendei:

— Que tal almoçarmos, então?

Como eu era sem noção!

Dividimos um *cheeseburger* de vinte centavos. (Se você se lembra de quando o *cheeseburger* nas lanchonetes custava vinte centavos e o hambúrguer, quinze centavos, não falta muito para você morrer. Nem preciso dizer que isso faz muito tempo.) Também dividimos um refrigerante de dez centavos. Sempre fui gastador. Trinta centavos mais os impostos — e com certeza os impostos naquela época não eram como hoje. Mas estou me desviando do assunto.

Eu me apaixonei perdidamente por aquela mulher. Quando Sande me conheceu, eu era o rapaz charmoso com uniforme cinza de zelador. Na manga, próximo ao ombro, havia um bordado que dizia: "Centro Médico de Tucson", no formato de U invertido, e "Limpeza" embaixo, com a figura de uma vassoura e um esfregão em forma de cruz. Pense em como isso era ótimo para a autoimagem de um garoto de 19 anos. Além do mais, eu tinha feito uma coroa no dente da frente, que já estava completamente gasta, então parecia que o dente tinha uma grande mancha escura no meio. Estou falando, eu era um verdadeiro gato!

Até hoje, as pessoas conhecem Sande, minha esposa de boa aparência, olham para ela meio desconfiadas, depois se voltam para mim, o marido gordinho. Consigo ver o que estão pensando, em especial os homens, que não sabem muito bem esconder seus pensamentos: "Minha nossa, como *isso* foi acontecer?".

Existe um grande clássico da música *country* chamado "She Believes in Me" [Ela acredita em mim], de Kenny Rogers. E foi isso que fez a Sande — a Sra. Certinha, como gosto de chamá-la às vezes, com todo amor, por ser uma mulher tão cheia de classe. Ela acreditou em mim, mesmo enquanto namorávamos e a enfermeira-chefe a chamou num canto para lhe dizer, em tom autoritário: "Não se envolva com esse faxineiro. Ele nunca vai dar em nada".

Aquelas palavras causaram impacto. Eram palavras que direcionavam um caçula da família, como eu, para o sucesso. E elas funcionaram.

> A enfermeira-chefe a chamou num canto para lhe dizer, em tom autoritário: "Não se envolva com esse faxineiro. Ele nunca vai dar em nada".

Eu era um *punk*. Vestia-me como um *punk* e fumava cigarros mentolados. Era um esquisitão, mas estava começando a entender os momentos de ensino da vida. Estava aprendendo que precisava fazer as coisas de maneira diferente. O ensino começou com minha mãe e se expandiu por meio de Sande — duas mulheres "comuns", cujas crenças e palavras foram usadas para realizar coisas extraordinárias em minha vida.

Sande não ficava me martelando com sua "religião". Eu a amava tanto que escolhia ir à igreja com ela. Ela também não dizia: "Beijá-lo é nojento, pois você cheira a cinzeiro e tem gosto de cigarro". Essa mulher extraordinária exercia muito seu domínio próprio, persistia em oração e... continuava a acreditar em mim.

As palavras de Sande causavam um impacto poderoso, porque ela vivia suas crenças bem à minha frente.

Quando estou dando palestras, sempre pergunto: "Quem acreditou em você?". Em seguida, afirmo: "Se você tem sucesso em qualquer área da vida, talvez seja porque uma pessoa acreditou em você. Se duas pessoas acreditaram em você, pode se considerar alguém abençoado!".

A crença dos outros em você dá início à sua peregrinação espiritual, mesmo quando você nem sabe disso, como eu não sabia.

Vamos pular alguns anos em minha vida para ver a diferença que fez a crença de minha mãe e de Sande em mim. Depois de conseguir todos os meus títulos acadêmicos, tornei-me professor da Universidade do Arizona. Eu dava aulas de aconselhamento público. Em outras palavras, minha matéria não ensinava apenas teoria e conceitos acadêmicos. Em vez disso, fazia uma aplicação prática da psicologia — uma disciplina muito incomum para a época. Eu levava uma família de verdade com problemas no casamento ou com os filhos e a aconselhava num fórum aberto. Eu basicamente ensinava meus alunos a aconselhar mostrando-lhes o processo. Aconselhava a família, depois saía do papel de psicólogo e me dirigia aos alunos.

> As palavras de Sande causavam um impacto poderoso, porque ela vivia suas crenças bem à minha frente.

"Agora vou lhes contar o que acabei de fazer e por que, e explicar o que está realmente acontecendo nesta família", eu dizia.

Os alunos nem piscavam os olhos. Nunca tive problema com alunos entediados ou dormindo, pois a aula era repleta de ação e tremendamente popular.

Foi isso que o rei Salomão fez em Provérbios 3.1-6. Ele descobriu, de forma brilhante, que, para causar impacto máximo, suas palavras precisariam estar cheias de ação. Necessitavam mostrar com clareza o que fazer a quem as lesse — de maneira compacta, para que qualquer pessoa conseguisse entender.

"Não se esqueça de minhas intruções", disse ele. Claro. Simples. E transformador.

Eu conhecia todas as histórias bíblicas — minha mãe me arrastava para a igreja toda semana. Eu achava que os ensinos entravam por um ouvido e saíam pelo outro. Escolhia não os seguir. Mas, por causa da persistência gentil de minha mãe, voltei para os ensinos que pensava ter esquecido. E eles transformaram de verdade minha vida.

> Eu conhecia todas as histórias bíblicas — minha mãe me arrastava para a igreja toda semana.

Está vendo? Deus é capaz de operar em sua vida mesmo sem você saber.

É por isso que amo o antigo poema "Pegadas na areia". A poetisa pergunta a Deus por que, durante os momentos mais difíceis da vida, ela só via um par de pegadas na areia. Isso significava que Deus a havia abandonado?

Sabe qual é a resposta divina? "Ei, foram nesses momentos que eu a carreguei no colo. Você nunca ficou só!" Quando olho para o passado, em todos os aspectos de minha vida, não resta dúvida: Deus colocou sua mão sobre mim muito antes que eu soubesse quem ele era. Eu nunca seria capaz de esquecer suas instruções, pois seus momentos de ensino me acompanharam por todo o caminho. E me carregaram no colo nos momentos mais escuros.

Eles carregarão você também.

Para pensar...

Meu filho, não se esqueça de minhas intruções...
PROVÉRBIOS 3.1A

Quem acreditou em você? Escreva um bilhete para essa pessoa e diga: "Obrigado por fazer a diferença em minha vida". Uma palavra de incentivo faz bem para todos.

O que você tem feito para proporcionar momentos de ensino àqueles que você ama? Para demonstrar que acredita neles?

Se o Deus Todo-Poderoso está ao seu lado, não há nada a temer.

2

"Jesus e Deus, Jesus e Deus, eles só falam sobre Jesus e Deus"

... guarde meus mandamentos em *seu coração*.
Provérbios 3.1b

Eu adoro o Charles Swindoll. Sempre fui meio fã dele. Certo dia, enquanto ouvia seu programa de rádio, eu o ouvi contar uma ótima história sobre sua visita a uma classe da escola dominical para crianças pequenas. Aconteceu mais ou menos o seguinte:

— O que é verde e coaxa? — ele perguntou às crianças.

Um garotinho franziu a testa parecendo refletir.

— Bem — disse ele devagar —, eu acho que é um sapo, mas vou dizer Jesus.

Chuck ficou confuso.

— E por que você diria isso?

— Porque estamos na escola dominical — respondeu o menino —, e aqui só falamos sobre Jesus e Deus.

Uma mãe me contou sobre seu filho pequeno conversando consigo mesmo no banco de trás do carro, no caminho para casa depois do culto. Após escutar com atenção, ela finalmente entendeu do que se tratava: "Jesus e Deus, Jesus e Deus, eles só falam sobre Jesus e Deus".

Da boca de criancinhas vem a sabedoria. Será que, no ímpeto de parecermos "espirituais" ou de sermos "semelhantes a Cristo", acabamos perdendo a essência de quem Jesus e Deus de fato são?

Se você pedir às pessoas que apontem para si mesmas, adivinhe para onde elas vão apontar?

Para a cabeça?

Não.

Para os pés?

Não.

Elas apontarão direto para o coração. Isso acontece porque o coração é o centro do indivíduo.

O coração revela como você responde e reage, como trata os outros e como enxerga a si mesmo e a Deus. Você pode parecer espiritual, saber de cor os Dez Mandamentos, conhecer as quatro leis espirituais *ad nauseam* e parecer bem-sucedido em todas as áreas da vida, mas, se o coração não estiver concentrado no que importa de verdade, todas as palavras que você disser não terão significado

> Será que, no ímpeto de parecermos "espirituais" ou de sermos "semelhantes a Cristo", acabamos perdendo a essência de quem Jesus e Deus de fato são?

nenhum. Você não tratará os outros como Deus deseja que trate. Não amará como Jesus ensinou você a amar.

Sou um cara bastante bombardeado por cartas e *e-mails* farisaicos de gente que não gosta de algo que eu escrevi ou falei numa palestra, por isso posso dizer, por experiência própria, que nunca é agradável ser criticado. Mas, para responder da maneira que devo — como Deus gostaria que eu respondesse —, preciso do conselho de minha querida esposa.

> "É fácil amar as pessoas que acham você maravilhoso. O difícil é amar quem considera você um tremendo idiota."

Certo dia, depois de ler para Sande uma carta em que alguém atacava sem medir as palavras algo que eu tinha dito num evento, ela me falou: "Leemie, é fácil amar as pessoas que acham você maravilhoso. O difícil é amar quem considera você um tremendo idiota".

Veja, por exemplo, o que Jesus disse: "Se alguém lhe der um tapa na face direita, vire a outra bochecha e deixe-o soltar a mão na sua cara" (versão Leman, Mt 5.39.). Talvez você esteja pensando: "Por que eu faria isso?". Porque Jesus, quando andou por este mundo, demonstrou amor a todo custo.

Mas ele deixava as pessoas passarem por cima dele? Claro que não! Quando ele viu os cambistas lucrando no templo, a casa de Deus, será que ele disse: "E aí, gente, tudo bem? Tenham um ótimo dia"?

Nada disso. Ele virou as mesas cheio de ira, jogando-as todas no chão, e expulsou aquelas pessoas do templo.

O que podemos aprender com Jesus sobre a maneira de lidar com situações e pessoas difíceis? Às vezes, é preciso dar a outra face. Em outras ocasiões, é necessário se posicionar com firmeza. Virar mesas. Partir para a ação. Deus concedeu um cérebro a cada um de nós, e o discernimento faz parte da vida cristã.

Voltando para a carta que recebi e para a resposta de Sande, ela continuou me dizendo: "Sei que esta carta não lhe soa bem, que o magoa e o deixa nervoso. É uma incompreensão completa do que você pensa e sente a esse respeito. Entretanto, você precisa amar *todos*, não só aqueles que concordam com sua opinião. Este é o padrão da vida cristã".

Viu por que eu me casei com essa mulher? A Sra. Certinha é tão inteligente... e *quase* sempre está certa também. Este caçula que vos escreve precisa da calma e do bom senso lógico da esposa.

Quando alguém ofende você, o mais fácil é soltar uma resposta ruim — ou dar logo um bom soco (é claro, de maneira cristã e amorosa). O mais difícil é ouvir e amar *a despeito das ações do outro*. E também discernir qual é o momento em que se torna necessário virar mesas e partir para a ação.

Jesus sempre foi amoroso com as crianças e com aqueles que enfrentavam sofrimento profundo. No entanto, ele também era osso duro de roer com os fariseus

— aqueles sujeitos hipócritas que defendiam a lei a todo custo, mas, por dentro, não passavam de sepulcros caiados. Jesus era um problema tão grande para esses homens que eles não paravam de incomodá-lo e de tentar fazê-lo recuar com sua retórica sofisticada.

Jesus nunca caiu nos truques deles. Ele os atingia em cheio, dizendo exatamente a coisa certa. Veja bem, Jesus discernia os motivos por trás das perguntas.

Às vezes, porém, sua cabeça lhe dirá uma coisa e seu coração, outra. A epifania acontece quando você pega a informação e a transfere da cabeça para o coração. Você pode até dizer todas as coisas certas, mas, se não viver aquilo em que acredita, será como uma lata de alumínio vazia rolando pela rua.

> Você pode até dizer todas as coisas certas, mas, se não viver aquilo em que acredita, será como uma lata de alumínio vazia rolando pela rua.

Então, deixe-me fazer uma pergunta: o que você pensa sobre Deus? Será que há realmente um Deus? Ele existe de verdade? Se existe, como você pode trabalhar em sua mente o conceito desse Deus? Como aquilo que você aprende sobre ele muda suas palavras e ações na vida cotidiana?

Tenho a convicção de que precisamos pensar nosso caminho até o coração. O que quero dizer com isso?

Por ser autor, já deparei diversas vezes com livros de outros escritores que eram repletos, de cada a capa, de pensamentos teológicos profundos. Nunca entendi a maioria deles, pois pareciam um pouco pesados demais para mim. Sabia que a mensagem estava ali, em algum lugar, mas eu me sentia um dos poucos no planeta sem inteligência suficiente para desvendá-la.

Para mim, acreditar ou não em Deus é um pouco mais simples.

Estou me referindo à possibilidade de você crer que alguns aminoácidos se uniram no espaço há bilhões e bilhões de anos. Dessas colisões de aminoácidos, surgiram todas as variedades impressionantes de tulipas, narcisos, sapos, centopeias, elefantes, dinossauros e seres humanos.

Se você crê nisso, tem muita fé. Mais do que eu. Na verdade, vou lhe dar nota dez pelo esforço em crer nisso.

Se você não acredita no Deus Criador, dê uma olhada no salmo 22:

> Meu Deus! Meu Deus! Por que me abandonaste?
>   Por que estás tão distante de meus gemidos por
>   socorro? [...]
> Meus inimigos me rodeiam como cães,
>   um bando de perversos me cerca;
>   perfuraram minhas mãos e meus pés. [...]
> Repartem minhas roupas entre si
>   e lançam sortes por minha veste.
>
> Salmo 22.1,16,18

Agora avance para João 19.24:

Isso cumpriu as Escrituras que dizem: "Repartiram minha roupas entre si e lançaram sortes por minha veste". E foi o que fizeram.

O salmo 22 foi escrito pelo rei Salomão mil anos antes de Cristo, mas contém exatamente algumas das palavras de Cristo na cruz. Como isso não viria de Deus? *Você* poderia prever, palavra por palavra, o que alguém falará ou sentirá daqui a mil anos? Para completar, essas palavras e ações foram registradas não só em *um* dos quatro evangelhos sobre a vida de Jesus, mas em *todos os quatro* (ver Mt 27.35; Mc 15.24; Lc 23.34; Jo 19.23-24).

Acrescente a isso o fato de que o nascimento de Jesus foi profetizado setecentos anos antes de acontecer. Além disso, diversas profecias de autores do Antigo Testamento se cumpriram exatamente como eles disseram que ocorreria.

Veja esta, por exemplo:

Mas ele foi ferido por causa de nossa rebeldia
   e esmagado por causa de nossos pecados.
Sofreu o castigo para que fôssemos restaurados
   e recebeu açoites para que fôssemos curados.

Isaías 53.5

Em seguida, compare com o relato de Mateus, Marcos, Lucas e João sobre a crucificação, setecentos anos depois! É surpreendente. De quebrar a cabeça!

Talvez eu seja muito simplório, mas provas como essas me fazem dizer: "*Shazam!* Este Deus é quem ele diz ser".

Quando analiso tais evidências e deixo a verdade fluir de minha mente para meu coração, percebo que não deveria desdenhar tanto de Deus nem ser tão indiferente em meu apreço sobre quem ele é. Preciso ficar maravilhado com sua majestade, grandeza, santidade e poder.

> **Deus nos conhece dos pés à cabeça. Ele sabe quanto somos imperfeitos, fracos e cheios de dúvidas, isto é, quanto somos humanos.**

Em vez disso, alguns de nós reduzem Deus a uma garrafa de água milagrosa que custa 25 dólares, do evangelista da televisão Billy Bob... Ou reduzimos Jesus a um "amigo e camarada" que ouve nossas orações antes de dormir.

Por que *falar* sobre Jesus e Deus? Porque não há ninguém mais como eles, e nunca haverá. Eles são completa e absolutamente únicos.

Mais ainda, Deus nos conhece dos pés à cabeça. Ele sabe quanto somos imperfeitos, fracos e cheios de dúvidas, isto é, quanto somos humanos. Foi por isso que, depois da ressurreição, ele apareceu para tantas pessoas. Jesus podia ter feito isso só uma vez — anunciando-se às mulheres, que certamente espalhariam a notícia — e depois ter desaparecido para sempre. Em vez disso, apareceu diversas vezes, inclusive a seus discípulos quando eles estavam escondidos.

Venha comigo e imaginemos os discípulos naquele momento. Eles estavam todos reunidos por trás de portas trancadas, sobressaltando-se ao menor barulho, assustadíssimos. Estavam com medo, pois, como haviam sido vistos com Jesus, alguém poderia ir atrás deles para crucificá-los ou linchá-los. Então, adivinhe quem aparece miraculosamente no meio deles, com porta trancada e tudo mais? O próprio Jesus! Deus encarnado! Estamos falando de algo sobrenatural, pois isso não poderia acontecer de nenhuma outra maneira.

Com certeza, os discípulos tremeram. Talvez alguns até tenham precisado dar uma conferida nas calças (sei que eu precisaria). Eles ficaram chocados. A princípio, não acreditaram no que estavam vendo. "Não pode ser Jesus ali em pé. Ele está morto!"

> Por que Jesus apareceu para tantas pessoas diferentes em tantas situações diferentes? Porque ele sabia que para alguns seria difícil acreditar.

Então, alguns começaram a entender. "Mas, sabe, ele disse que ressuscitaria..."

De repente, a descrença e o medo deram lugar a pura alegria e crença. A fé foi tão forte que eles nunca mais recuaram — nem mesmo ao enfrentar forte perseguição.

Por que Jesus apareceu para tantas pessoas diferentes em tantas situações diferentes? Porque ele sabia que para alguns seria difícil acreditar.

Muitas pessoas estão nessa situação hoje. Acham difícil acreditar. Talvez você também pense assim.

Quando Jesus andou por este mundo, ele amava estar em contato com as pessoas e elas queriam ter contato com ele. Queriam tocar suas vestes. Tocá-lo. Acreditavam que um simples toque em Jesus curaria suas doenças e lhes transformaria a vida.

Hoje Deus deixa seu toque — suas digitais — em toda a criação. Eu fico completamente deslumbrado. Desfrutar a beleza das flores e das montanhas que cercam meu lar no Arizona solidifica minha fé. Se você procura provas da existência de Deus, dê uma olhada ao seu redor. Observe o sol se pôr, admire as pequenas flores do campo, molhe os pés num riacho ou olhe nos olhos de uma criança de 4 anos. De algum modo, aquela teoria de aminoácidos que colidem e se reorganizam não parece mais tão real, não é mesmo?

Não importa o que diga até mesmo o mais inteligente dos cientistas, é impossível para eles olhar para o grande plano da vida sem ter pelo menos certo grau de fé. O problema é que muitos deles (e nós, seres humanos comuns, também) não querem acreditar, pois isso exigiria uma resposta do coração e significaria mudar alguma parte da vida que não desejam mudar.

Mas as evidências de nosso complexo universo proclamam em alta voz a verdade de como a criação divina se encontra em sintonia perfeita. Por exemplo, a Terra está suspensa numa atmosfera leve e inclinada no grau perfeito. Os físicos revelam que, se ela se inclinasse apenas mais um grau para um lado, nós congelaríamos. Caso se movesse apenas um grau para o outro lado, morreríamos queimados.

Esse mesmo Deus se importou tanto com os detalhes da Terra e com a beleza que criou as flores do campo (em variedade e profusão encantadoras), os pássaros e mamíferos terrestres (incluindo pelicanos, cegonhas, pinguins e tamanduás). A criação que nos cerca a cada dia mostra que Deus é pessoal... e também tem senso de humor.

> A Terra está suspensa numa atmosfera leve e inclinada no grau perfeito. Os físicos revelam que, se ela se inclinasse apenas mais um grau para um lado, nós congelaríamos. Caso se movesse apenas um grau para o outro lado, morreríamos queimados.

Deus sempre existiu. Ele não tem início nem fim. Ninguém criou Deus.

Esse é outro pensamento de revirar a cabeça, especialmente porque tudo o que vemos na Terra tem início e tudo o que experimentamos na vida tem fim. Deus conhece o tempo de nossa vida, desde o início até o último instante. Ele sabe qual é o propósito de nossa existência. "Eu o conheci antes de fomá-lo no ventre de sua mãe; antes de você nascer, eu o separei" (Jr 1.5).

Mas uma coisa é ter conhecimento racional (saber sobre Deus e conseguir citar um versículo da Bíblia), outra é vivenciar o mistério, o milagre e a maravilha do poder divino em atuação no universo — e em você.

Você se lembra dos dois garotinhos do início do capítulo, um que sabia que o sapo era verde e coaxava, mas achou melhor responder "Jesus" porque a pergunta foi feita na escola dominical, e o outro que disse no banco de trás do carro: "Jesus e Deus, Jesus e Deus, eles só falam sobre Jesus e Deus"? Será que há sabedoria nessas declarações?

Para aqueles meninos, havia um problema de conexão. Ninguém havia ligado os pontos entre as pessoas que falavam sobre Jesus e Deus e sobre quem Jesus e Deus de fato são. Não basta apenas *acreditar* em Jesus e Deus. É necessário ligar os pontos entre crer com a cabeça e ter um relacionamento pessoal com Jesus e Deus — o tipo de relacionamento que se torna parte integrante de quem você é, daquilo que faz e de sua maneira de agir.

Para incorporar quem Jesus e Deus de fato são, não adianta somente conhecer *sobre* eles. É preciso conhecê-los *pessoalmente*, e então difundir esse conhecimento em seu coração, onde ele pode fazer morada. Pois é assim que acontece uma transformação verdadeira — quando seu coração se envolve.

Para pensar...

... guarde meus mandamentos em seu coração.
Provérbios 3.1b

Quais mandamentos são os mais difíceis para você?
O que, em seu coração, dificulta a obediência a esses mandamentos?

Como você pode, nesta semana, deixar de apenas conhecer *sobre* Deus e passar a conhecê-lo *pessoalmente*?

---

*Mudar envolve esforço consciente
e compromisso sincero.*

3
Jesus não é o lobo mau

Se assim fizer, *viverá* muitos anos...
Provérbios 3.2a

Você se lembra da clássica história infantil "Os três porquinhos"? Antes que as três criaturinhas saíssem pelo mundo, a mãe deles deu um sábio conselho: "Deem seu melhor em tudo o que fizerem, pois essa é a única forma de se dar bem no mundo".

O primeiro porquinho construiu sua casa de palha, porque era a maneira mais fácil. Antes do meio-dia, ele já estava tirando um cochilo na sombra de uma árvore ali por perto, tomando uma *piña colada*.

O segundo porquinho construiu uma casa de madeira. Ele ficou satisfeito por ter feito uma casa mais forte que a do irmão.

O terceiro porquinho construiu uma casa de tijolos, pois estava determinado a fazer uma morada que resistisse a qualquer coisa.

Quando o lobo mau viu os novos vizinhos, soube que estava no paraíso. Jantar *à la carte* sem precisar fazer esforço! Foi primeiro ao porquinho com a casa de palha.

— Deixe-me entrar — ordenou — ou vou soprar, soprar até sua casa voar.

— Nem que a vaca tussa — disse o porquinho gordo.

Mas é claro que ele foi comido assim mesmo.

O mesmo aconteceu na noite seguinte com o porquinho número dois, na casa de madeira. O lobo mau jantou um lombo de primeira.

Na terceira noite, o lobo tentou a mesma tática assustadora com o terceiro porquinho, abrigado em sua casa de tijolos.

— Deixe-me entrar, ou vou soprar, soprar até sua casa voar!

Mas o terceiro porquinho era mais inteligente que os outros dois irmãos. Ele sabia que sua casa seria capaz de resistir e simplesmente continuou preparando o próprio jantar.

O esperto lobo mau subiu no telhado, procurando uma forma de entrar.

Mas o porquinho era ainda mais inteligente que o lobo. Colocou um caldeirão de água para ferver na lareira. Quando o lobo mau desceu pela chaminé, onde foi parar? Bem no caldeirão do porquinho. E esse foi o fim do lobo mau.

> "Deixe-me entrar, ou vou soprar, soprar até sua casa voar!"

De fato, aquele porquinho aprendeu muito bem com sua mãe a viver fazendo sempre o melhor que podia. Os dois primeiros porquinhos tiveram uma vida curta e estressante porque não aprenderam direito essa lição.

Mas volte e pense um pouco no lobo mau. Não é assim que alguns de nós pensamos em Deus? Como se ele fosse um lobo mau no céu, que vai soprar e soprar até nossa casa voar? Um Deus que gosta de julgar e está pronto a nos condenar pela menor infração das regras? Que nunca quer que tenhamos qualquer diversão? Que está sempre colocando as coisas *contra* nós e nunca a *favor* de nós?

"Estou tão estressado!"

Você já pensou que sua forma de enxergar Deus está totalmente relacionada a seu jeito de viver, inclusive ao estresse que você sente?

"Estou tão estressado!"

Se eu ganhasse um dólar por cada uma das vezes que ouvi essa frase (ou as centenas de variações dela) no último ano, teria mais dinheiro do que alguns que ganham na loteria (e precisam pagar uma porcentagem alta do prêmio em impostos).

Estresse é a palavra do momento para todos, desde grandes executivos a mães em tempo integral e adolescentes que praticam esportes. Elisabeth Kuhn, especialista em bem-estar, disse o seguinte a respeito das consequências do estresse:

O excesso de estresse que não é tratado pode matar. Quando você está estressado, o corpo produz o hormônio cortisol, que tem o objetivo de fazer a pessoa se mexer, como parte do mecanismo de fuga ou reação. No entanto, esse hormônio foi feito para ser liberado apenas ocasionalmente, em pequenas doses. Quando o estresse o libera por períodos prolongados, o corpo reage com uma série de consequências nocivas diferentes para a saúde.[1]

O estresse tem sido uma parte tão grande da vida, que escrevi um livro inteiro sobre o assunto: *Acabe com o estresse antes que ele acabe com você*.[2] Mas de onde vem todo esse estresse?

Será que tentamos controlar demais as circunstâncias da vida? Ou fazemos coisas em excesso porque não nos sentimos confortáveis com quem somos e tentamos ser alguém diferente? Estaríamos criando estresse pelas escolhas ruins que fazemos e por nossa necessidade obsessiva de estar no controle?

Alguns acreditam que podemos ficar tão viciados em adrenalina que passamos a querer ficar em constante movimento e a necessitar disso.

Alguns acreditam que podemos ficar tão viciados em adrenalina — do tipo produzido pelo corpo por causa de nossa agenda lotada — que passamos a querer ficar em constante movimento e a necessitar disso.

Porém, quando nos concentramos primeiro nos ensinamentos de Deus, eles nos ajudam a eliminar os supérfluos de nossa vida ocupada e a discernir o que realmente precisamos fazer. Eles nos ensinam a priorizar, para abrirmos mão de algumas coisas e vivermos como Deus planejou — com o coração e a cabeça unidos no que é mais importante. Ao fazer isso, temos uma vida mais saudável e aumentamos nossa expectativa de vida. Diversos estudos revelam que as pessoas fiéis no casamento e com atitudes otimistas, ou seja, menos estressadas, são as que vivem mais.[3]

Quando fiz uma pesquisa com mulheres, perguntei-lhes: "Quais são as maiores fontes de estresse em sua vida? Mencione-as em ordem". As respostas foram claras. Sem dúvida, os seis principais motivos de estresse para as mulheres são: filhos, falta de tempo com as pessoas amadas, marido, tarefas domésticas, finanças e trabalho. Não é algo bem feminino colocar os relacionamentos em primeiro lugar? (Faça a mesma pesquisa com homens e você receberá respostas diferentes; em geral, os relacionamentos vêm em segundo plano.)

O estresse é um fato da vida. O que fazemos com ele é que nos edifica ou nos destrói.

Veja o exemplo de John, um cara cujo emprego era um trabalho pesado de que ele não gostava, mas no qual continuava para poder pagar as contas. O problema era que ele gastava boa parte de sua renda no bar. Era uma pessoa que não apresentava problemas quando estava sóbrio, mas era preciso tomar cuidado com ele depois que bebia demais. John descontava a frustração em sua família e fazia coisas irracionais, que causavam estresse a todos.

Por exemplo, certa noite um de seus amigos o levou para casa após uma bebedeira. No dia seguinte, ele não conseguia se lembrar de onde havia deixado o carro da família.

Em outra noite, depois que ele havia bebido em excesso, a esposa decidiu passar a noite na casa do filho. John era um cara à moda antiga, por assim dizer, então ligou para o filho e exigiu que ela voltasse para casa imediatamente.

— A mulher deve ficar com o marido — ele insistiu.

O filho respondeu com toda a calma:

— Parece que você bebeu cerveja demais. A mamãe vai ficar conosco hoje. Vá dormir e amanhã de manhã nos vemos.

Espumando de raiva, John entrou no carro e saiu em direção à casa do filho. Quando errou a entrada e tentou voltar, o carro ficou preso numa pedra. Ele girou as rodas e estourou os pneus.

> O estresse é um fato da vida. O que fazemos com ele é que nos edifica ou nos destrói.

Furioso e bêbado, tentou sair do carro e caiu em cima de um cacto cheio de espinhos. Alguém o viu e ligou para o serviço de emergência. Às três e meia da manhã, ele estava no hospital, suportando a dor enquanto os espinhos eram arrancados um a um daquela parte do corpo que você sabe muito bem qual é.

Talvez você pense que passar por uma dor como essa faria o cara mudar de vida, mas tem gente que simplesmente não aprende. Chamo isso de *desenvolvimento da carnalidade.* Acho essa expressão muito adequada. Quanto mais envelheço, mais percebo que meu eu carnal nunca está longe de mim. É por isso que sinto certo nojo quando deparo com pessoas que parecem corretas, mas estão longe disso quando você tira a casca.

> Jesus não suportava os fariseus e lhes dava broncas o tempo inteiro.

Jesus não suportava os fariseus e lhes dava broncas o tempo inteiro. Não media palavras: "Serpentes! Raça de víboras!" (Mt 23.33).

No entanto, ele sempre tinha coisas maravilhosas a dizer para pessoas como a viúva que só tinha duas moedinhas (pense em uma quantia inferior a um centavo) e as deu com o coração cheio de alegria pelas bênçãos que Deus lhe concedera. Ela deu mesmo sem ter certeza se teria algo para jantar.

E Jesus não deixava de incentivar as crianças a se aproximarem dele, chamando atenção para a simplicidade e a beleza da fé infantil.

Quando minha neta de 5 anos perdeu o primeiro dente e eu a coloquei para dormir naquela noite, ela me perguntou:

— Vovô, como é a fada do dente?

Eu sorri.

— Ela se parece com a Sininho.

Ah, se conseguíssemos conservar a fé de uma criança pequena em milagres e coisas que não fazem sentido, ou seja, que necessitam de fé!

No entanto, quando crescemos, perdemos a inocência infantil à medida que a vida e os problemas tomam conta. É como colocar uma criança no soro e observar o líquido pérfido do mal se infiltrar em seu sistema — por meio da televisão, de filmes, *video games*, quadrinhos, experiências difíceis da vida e falta de amor.

É por isso que sempre me surpreendo com aqueles que se agarram com firmeza à fé infantil. Minha mãe, May Leman, era uma mulher assim. Ela passou a vida de casada aguentando meu pai, que só parou de beber depois que virou cristão, aos 56 anos de idade. Era uma santa, que suportava muita coisa. Não me lembro de quantas vezes desci as escadas pela manhã e a encontrei em sua cadeira preferida, orando, com a Bíblia no colo. Isso depois de trabalhar a noite inteira no hospital, ajudando a sustentar nossa família.

> **Sempre me surpreendo com aqueles que se agarram com firmeza à fé infantil.**

Eu era um pestinha que questionava as figuras de autoridade e testava limites. Mesmo durante a adolescência, porém, conseguia conversar com minha mãe. Eu a respeitava e gostava de ouvir o que ela tinha a dizer. E sabia, sem sombra de dúvida, que ela acreditava em seu "Ursinho".

Eu faria qualquer coisa para defendê-la — e fiz. Ainda tenho na mão a cicatriz do dente de um cara que deu o azar de aparecer bem na frente do meu punho depois de dizer algo ruim sobre minha mãe.

Dei um soco na cara dele porque ele disse que minha mãe não se importava comigo, porque não me fazia trocar minhas roupas. Sabe, quando eu era criança, as crianças se vestiam para ir à escola e depois mudavam de roupa para brincar quando chegavam em casa. Mas eu não. Minha mãe era a única do quarteirão que trabalhava fora e eu brincava com a mesma roupa de ir à escola.

Aquele menino finalmente entendeu que nunca mais deveria falar sobre minha mãe daquele jeito... depois que o derrubei da bicicleta e ele caiu de costas.

Se alguém tinham motivos para ficar estressada, essa pessoa era May Leman. Mas ela nunca reclamava do trabalho duro. Ela o fazia com a atitude de quem enxerga o copo da vida meio cheio.

> **O estresse faz parte da vida, mas *nós* é que o produzimos. Fabricamos o estresse com base em nossas circunstâncias de vida.**

Sim, o estresse faz parte da vida, mas *nós* é que o produzimos. Fabricamos o estresse com base em nossas circunstâncias de vida e então o distribuímos, lançando o verbo "deveria" sobre nós mesmos ou sobre outras pessoas.

- Eu *deveria* ter limpado a casa ontem.
- Eu *deveria* ter um emprego com salário melhor.
- Ele *deveria* se importar mais comigo. Se ele se importasse, a vida seria mais fácil.
- Ela *deveria* ajudar mais por aqui.

- Eu *deveria* perder peso para ficar com aparência melhor. Então, quem sabe eu...

Pegamos em nosso pé porque não nos sentimos bons o suficiente. Até o apóstolo Paulo disse sobre si mesmo: "Como sou miserável!" (Rm 7.24). Bem, se ele era miserável, então nós seríamos o quê? Menos do que miseráveis? Inaceitáveis? Indignos?

Mesmo que não se considere uma pessoa de valor, *nada* pode separar você do amor de Deus (Rm 8.38-40), nem mesmo suas próprias dúvidas. Por amar você incondicionalmente, Deus enviou seu único Filho, Jesus, para morrer por você. E isso faz você valer muito mais do que *algo* — você vale *tudo* para Deus. Seu valor para Deus, o supremo Criador do universo, é inestimável, pois ele se dispôs a sacrificar seu único Filho por você.

Todos nós passamos por momentos de estresse, em que ficamos para baixo. Fazemos pouco de nós mesmos. Com frequência dizemos sim quando, na verdade, gostaríamos de dizer não. Mordemos um pedaço maior do que conseguimos engolir. Criamos o dilema em que nos encontramos quando nos envolvemos em atividades demais.

Mas com que frequência nós nos aquietamos? Vivemos numa sociedade de atividade constante, na qual ficamos estressados ao máximo. Temos uma vida agitada demais, com muitas viagens. No entanto, já aprendi o quanto é importante parar. Há um texto bíblico que eu amo. Ele diz: "Aquietem-se e saibam que eu sou Deus!" (Sl 46.10).

O salmo 23 declara:

O S%%%%enhor%%%% é meu pastor,
    e nada me faltará.
Ele me faz repousar em verdes pastos
    e me leva para junto de riachos tranquilos.
Renova minha forças
    e me guia pelos caminhos da justiça.
Salmos 23.1-3

Eu sempre me perguntava por que o Senhor conduz a riachos tranquilos. Por que não a águas agitadas? Elas não mostrariam melhor a proteção divina?

Cresci em Nova York, perto de onde o lago Erie deságua no rio Niágara. A correnteza é intensa ali. Mesmo quando eu era criança e burro como uma porta em relação a muitas coisas, sabia que era melhor não tentar nadar naquele rio perigoso.

Quando descobri que as ovelhas têm medo de água corrente, o salmo 23 começou a fazer muito mais sentido para mim. Hum... As ovelhas não são muito diferentes de nós, não é mesmo? Elas gostam de coisas calmas e tranquilas. É assim que elas se dão melhor na vida, numa zona de pouco estresse.

Moro em Tucson, Arizona, durante a maior parte do ano. As manhãs são magníficas, e eu amo aproveitá-las. Também gosto de observar os pássaros. Certa manhã, pensei: "Bem, Deus cuida das aves do campo, não é mesmo? Por que não fazer parte do processo de alimentá-las?".

Então criei o hábito de ir ao supermercado e comprar sacos de cinco quilos de semente de cardo para encher o comedouro em minha casa. Vou para a varanda com uma xícara de café no início da manhã e observo todos os tentilhões amarelos que se reúnem em volta do comedouro para tomar seu café da manhã. A pessoa que inventou a expressão "livre como um pássaro" estava completamente por fora. Os pássaros precisam dar duro para sobreviver.

Mas minhas manhãs com os pássaros me lembram, de maneira profunda, que cada dia é um presente. Tantos de nós desperdiçam os próprios dias. Nós nos arrastamos por eles, trabalhando em um emprego que detestamos e agindo como o Sr. ou a Sra. Pessimismo. Criamos nosso próprio estresse. Falhamos em reconhecer os milagres ao nosso redor — os grandes e os pequenos. E também deixamos de ver as necessidades à nossa volta.

> **Minhas manhãs com os pássaros me lembram, de maneira profunda, que cada dia é um presente.**

Quando Jesus viu um grupo de pessoas "justas" reunidas para apedrejar a mulher apanhada em adultério (sempre me perguntei: se ela foi "pega" no ato, onde é que estava o homem com quem ela tinha um caso?), ele teve compaixão. Sim, a mulher havia errado. Sim, ela merecia o castigo... mas não mais que todos os "justos" ao redor dela com pedras nas mãos, que escondiam os próprios pecados.

Então Jesus começou a escrever na areia. Não sabemos ao certo o que ele escreveu, mas as palavras levaram os acusadores a fugir, um por um, e sumir do mapa.

Logo, só ficaram Jesus e a mulher.

Quando ficou a sós com ela, Jesus soprou e soprou até a casa dela cair, como faria o lobo mau?

Não. Ele disse apenas: "Vá e não peque mais" (Jo 8.11).

Com essas palavras simples, Jesus foi direto ao ponto — uma habilidade extraordinária que ele possuía. E, com essas palavras, uma mulher apanhada em pecado foi libertada para mudar de vida. Naquele momento, o peso de seu pecado foi retirado. Ela não mais carregava o fardo dos estresses de sua vida.

> Ele disse apenas: "Vá e não peque mais".

No entanto, ela tinha uma escolha a fazer. Veja bem, Jesus não é o lobo mau, que grita em tom de ameaça: "Deixe-me entrar, ou vou soprar, soprar até sua casa voar!".

Em vez disso, ele diz: "Preste atenção! Estou à porta e bato. Se você ouvir minha voz e abrir a porta, entrarei e, juntos, faremos uma refeição, como amigos" (Ap 3.20).

> Com essas palavras simples, Jesus foi direto ao ponto.

Quando eu era criança, minha mãe pendurou um quadro em meu quarto que mostrava Jesus batendo à porta. Mas só fui perceber anos depois que não havia maçaneta do lado de fora daquela porta. Ela só podia ser aberta por dentro.

Jesus nunca força a entrada em seu coração. Ele simplesmente fica do lado de fora — sempre disponível, esperando, sem estresse — para que você decida abrir a porta.

E, se você a abre, seu mundo muda. Você pode conversar com ele em qualquer lugar — na estrada, enquanto lava a louça, durante o almoço, ao observar o brilho da lua à noite, ou enquanto vê os pequenos tentilhões comendo sementes de cardo ao nascer do sol.

Quando você começa a depender dele para *tudo*, não para *nada* ou apenas para *algumas coisas*, seu nível de estresse diminui. E mais: Salomão diz que sua vida será prolongada em muitos anos.

Pelo que sabemos, o ser humano que viveu mais tempo foi Matusalém: 969 anos (Gn 5.27). Duvido que chegarei a tanto, mas tenho uma determinação: viver da melhor maneira possível.

Viu só? Até mesmo quem já está velho como eu ainda pode aprender com a mamãe porca e com o lobo mau.

Para pensar...

Se assim fizer, viverá muitos anos...
Provérbios 3.2a

Qual é sua visão de Deus? Você o enxerga como um lobo que não para de soprar à sua porta? Ou como alguém que bate gentilmente? Como sua experiência com seu pai ou sua mãe influencia a resposta a essa pergunta?

Como a confiança em Deus — tanto nas pequenas coisas como nas grandes — pode fazê-lo viver "muitos anos"?

Deus nos ama...
com nossos defeitos e tudo mais.

4

Atenção, caçadores de descontos: Jesus está fora dessa

... e sua vida será cheia de paz.

Provérbios 3.2b

Toda vez que o Dia de Ação de Graças se aproxima, a equipe de certa marca que vende perus cria um número de telefone gratuito de comunicação com os clientes. Caso você não tenha experiência em assar um peru e fique com alguma dúvida, pode ligar e conversar com alguém que lhe dirá o que fazer com a ave.

Certa vez, uma senhora ligou para o número gratuito. Tinha um peru congelado havia nove anos e queria saber:

— Ainda posso usá-lo?

A resposta da atendente?

— Só um momento, preciso conferir com meu supervisor.

De volta à linha, ela disse:

— Não há problema em consumi-lo se ele tiver ficado congelado o tempo inteiro, se houver certeza absoluta de que o peru nunca descongelou e de que a senhora nunca ficou sem energia. Nesse caso, seria seguro comê-lo.

— Obrigada — respondeu a senhora. — Mas acho que vou doá-lo para uma igreja.

Infelizmente, é assim que muitos pensam. Gostam de dar os restos para a igreja, aos desabrigados, necessitados ou enviuvados. É por isso que vemos tantas moedas na salva de ofertas de uma igreja com carros luxuosos no estacionamento.

Da próxima vez que você for a um restaurante, pergunte ao garçom ou à garçonete qual é o dia que eles menos gostam de trabalhar. Sem dúvida, a resposta será "domingo". E por que domingo? Porque os cristãos costumam ser mesquinhos na hora de dar gorjeta, e é no domingo, depois do culto, que todos os cristãos muquiranas aparecem para almoçar.

> Não servimos a um Deus em liquidação. Ele não está com desconto. Não custa metade do preço.

Uma amiga me contou que um líder de sua igreja, homem com bom emprego, tinha o hábito de levar a família todos os domingos, após o culto, para uma concessionária ou qualquer outro comércio que estivesse distribuindo cachorro-quente (ou outro alimento) e refrigerante de graça. Esse era o almoço que ele dava à família. Isso é que é ser pão-duro!

Mas não servimos a um Deus em liquidação. Ele não está com desconto. Não custa metade do preço.

Quando Jesus fazia as coisas, ele as fazia da maneira correta. Ele daria boas gorjetas. Não seria um daqueles caras que, meio encabulado, deixa um dólar na mesa e vai embora.

Ele seria mais parecido com um homem chamado Dan Johnston e com as pessoas da Springs Church em Winnipeg, Manitoba. Dou palestras no mundo inteiro, para muitas plateias poderosas, inclusive para executivos de empresas que figuram entre as quinhentas maiores da revista *Fortune* e algumas das maiores igrejas dos Estados Unidos. Mas, quando penso em pessoas que fazem as coisas direito, lembro-me dos canadenses da Springs Church.

Depois de fazer uma campanha para levantamento de recursos em Columbus, Ohio, dirigir para o oeste de Nova York e ir a Toronto para pegar um voo direto, cheguei a Winnipeg à meia-noite. Eu estava exausto, mas lá no aeroporto estava Dan Johnston, que fez de tudo para mim — só faltou cortar minhas unhas dos pés! Ele carregou minhas malas, abriu portas, fez meu *check-in* no hotel e conferiu se tudo no quarto estava satisfatório. Além disso, havia uma grande cesta com lanches no quarto, um bilhete dos pastores Leon e Sally Fontaine e cinquenta dólares canadenses para qualquer eventualidade (já que, é claro, eu só tinha dólares americanos). Eles até deixaram um cartão-presente de uma cafeteria que havia na esquina, para o caso de eu precisar de uma dose de cafeína.

O tratamento que eles me dispensaram comunicava

o tempo inteiro: "Bem-vindo, bem-vindo, bem-vindo!". Essa é uma igreja que faz as coisas direito porque tem o coração de Jesus. Eles se importam com as pessoas. Além disso, estão envolvidos em todos os ministérios que você possa imaginar numa igreja. Eles encontram as pessoas onde elas estão (ninguém precisa se purificar para ir à igreja; você pode ir como estiver). Ninguém fica martelando o evangelho em sua cabeça. Eles simplesmente amam, aceitam e recebem você de bom grado.

Jesus dava com esse tipo de generosidade — e muito mais.

Quando ele curou o cego, você ouviu o beneficiado dizer: "Ei, eu só consigo enxergar um pouco com o olho esquerdo... Ahn, acho que isso é um E", quando fez um exame de vista no médico? Não, o relato diz que o homem saiu da cegueira e passou a pular para cima e para baixo, proclamando entusiasmado: "Mas uma coisa sei: eu era cego e agora vejo!" (Jo 9.25). O homem que agora enxergava não precisava de nenhuma outra prova de quem era Deus. Naqueles dias, os cegos costumavam ser reduzidos a pedintes. Mas, ao abrir os olhos do homem, Jesus levou prosperidade a ele — a capacidade de ver permitiria que ele trabalhasse e fosse bem-sucedido na vida.

> O homem que agora enxergava não precisava de nenhuma outra prova de quem era Deus.

A história do primeiro milagre de Jesus em Caná da Galileia é uma de minhas preferidas (Jo 2.1-11). Jesus, seus discípulos e sua mãe estavam em um casamento no qual o vinho acabou. Essa era a maior das vergonhas numa festa nupcial. Então, o que Maria fez?

Chamou Jesus!

— Ei, Filho, venha aqui! Faça o que você sabe fazer. O vinho deles acabou.

Jesus respondeu:

— Mulher [observe que ele chamou a mãe de *mulher*, demonstrando sua chateação], o que eu tenho a ver com isso?

Em outras palavras, estava dizendo não com todas as letras.

Mas Maria era uma mãe sábia. Ela não retrucou: "O que você acabou de dizer? Seu ingrato! Você nasceu quando eu tinha 15 anos de idade. Foram nove horas de trabalho de parto...". Em vez disso, simplesmente se voltou para os servos e pediu:

— Façam o que meu filho disser.

Ela pegou a bola e colocou no campo de Jesus.

Então algo aconteceu. Lembro-me de ler a história pela primeira vez e pensar: "Ei, algo está errado. Alguma coisa está faltando na história. Jesus foi claro ao dizer não, mas depois foi em frente e transformou a água em vinho assim mesmo".

"Por quê?", perguntei-me. Em minha mente mortal, imaginei o que deve ter acontecido. Maria, a mãe de Jesus, deu "aquela olhada" para ele — a mesma olhada que você daria para seu filho se você o mandasse fazer algo e ele respondesse "Não!". (A mesma olhada que ganhei de minha esposa quando comprei vinte coelhinhos porque achei que eles ficariam uma gracinha pulando em nosso quintal.)

Certa vez, perguntei a Chuck Swindoll por que Jesus transformou água em vinho. Ele respondeu: "Não sei. Talvez o anfitrião da festa estivesse passando por uma situação desconfortável, com o vinho acabando no meio da comemoração, então Jesus, um convidado, decidiu resolver as coisas".

Ou, eu me pergunto, seria por que ele respeitava a mãe? Jesus não precisava obedecer à mãe quando ela pediu que transformasse a água em vinho, mas ele o fez. Posteriormente, na cruz, revelou o quanto apreciava a mãe ao pedir para o discípulo João: "Cuide de minha mãe".

A despeito de quais tenham sido os motivos de Jesus, o resultado da história é que, quando o vinho foi experimentado, as pessoas disseram: "Uau, isso foi diferente da maioria dos casamentos! Vocês deixaram o melhor para o final. Com certeza, esse não é um vinho barato, daqueles vendidos em lojas de conveniência. É o melhor de todos".

Jesus fazia tudo com perfeição — inclusive transformar água em vinho. Em nossa humanidade, porém, nem sempre entendemos seus caminhos.

Veja o exemplo de Maria e Marta, as mulheres que ficaram chateadas com Jesus porque ele demorou para visitar Lázaro, amigo do Mestre e irmão delas, que estava morrendo. Jesus pareceu ter uma atitude que dizia: "Vou chegar aí. Não se preocupem". Entretanto, antes que isso acontecesse, Lázaro morreu. A censura que recebeu das irmãs enlutadas foi grande.

Então vem o milagre. Jesus estende as mãos na direção do túmulo e diz: "Lázaro, venha para fora".

E da sepultura sai o morto, ainda enrolado nos panos cerimoniais usados para enterrar as pessoas naquela época. Ele não apenas deu quatro passos e respirou para então cair e morrer de novo. Lázaro caminhou firme para fora do túmulo sob a ordem de Jesus!

Mesmo vendo Jesus realizar esses milagres em primeira mão, os discípulos ainda tinham dificuldades para crer que ele era mesmo o tão esperado Messias. A Bíblia diz que os doze "creram nele" (Jo 2.11) depois do primeiro milagre em Caná, mas isso não significa que não tivessem dúvidas.

> Se você tem dificuldades para crer em Deus, não está sozinho. Até os discípulos, que andavam e conversavam com Jesus, passaram por isso.

Se você tem dificuldades para crer em Deus, não está sozinho. Até os discípulos, que andavam e conversavam com Jesus, passaram por isso. Eles viam o poder extraordinário de Deus bem de perto, na figura de seu Filho, mas ainda assim achavam difícil fazer sua mente mortal compreender.

Quando Jesus reuniu os doze no cenáculo para a última refeição que fariam juntos, ele declarou:

— Ei, gente, vou dar o fora daqui. Vou preparar um lugar para vocês, e vocês sabem para onde estou indo.

Adoro Tomé, porque era tão lerdo que me faz lembrar de mim mesmo. Ele disse:

— Senhor, não fazemos a mínima ideia do que está falando.

Filipe entrou em cena logo em seguida:

— É isso aí, mostre o Pai para nós, e aí saberemos.

Então Jesus disse para Filipe:

— Depois de todo esse tempo comigo vocês ainda não sabem quem eu sou? Se vocês viram a mim, viram ao Pai (ver Jo 14.1-9).

Mesmo com esse esclarecimento, os discípulos ainda não entenderam. Quando as coisas se complicaram, eles entraram em pânico e fracassaram. Judas traiu Jesus e depois se suicidou. Pedro negou a Cristo três vezes e depois chorou amargamente. Outros correram e se esconderam, com medo de enfrentar o mesmo destino do Mestre.

E, no entanto, Jesus os perdoou. Deu a todos, com exceção de Judas, que estava morto, uma segunda chance para provar sua lealdade a ele. E dessa vez eles não fracassaram. Na verdade, a maioria sofreu a morte de mártir por sua fé.

Somos humanos. Nenhum de nós merece ser colocado num pedestal.

Entenda, Deus e seu Filho, Jesus, são os únicos perfeitos. Somos humanos. Nenhum de nós merece ser colocado num pedestal. Nós falhamos, nos sentimos culpados e ficamos remoendo o mal que fizemos. O único homem sem pecado foi Jesus.

Jesus sempre fazia a coisa certa — não a mais rápida nem a mais barata. Se fizermos o mesmo, prosperaremos no final.

"Tragam todos os seus dízimos aos depósitos do templo, para que haja provisão em minha casa. Se o fizerem", diz o SENHOR dos Exércitos, "abrirei as janelas do céu para vocês. Derramarei tantas bênçãos que não haverá espaço para guardá-las! Sim, ponham-me à prova!"

Malaquias 3.10

Essa é a declaração de um Deus generoso, pronto para derramar suas bênçãos sobre nós... mas nós também precisamos ter o coração generoso de Deus.

Já ouviu alguém perguntar:

— Se Deus existe, por que ele permite que as pessoas morram de fome na África?

Sempre disparo em seguida:

— Por que *você* permite?

Veja bem, Deus usa pessoas comuns para fazer coisas extraordinárias na vida dos outros. E você pode participar disso — de maneira pequena ou grande.

É necessário, porém, tirar o foco de si mesmo, correr riscos e ficar atento às necessidades dos outros. Tantos de nós reclamamos do que não temos, em vez de reconhecer o que temos e agradecer a Deus por essas bênçãos!

Cada dia é um presente, mas a forma de usar esse presente depende de nós. Dons e talentos nunca devem ser empregados somente para benefício próprio.

Creio de todo o coração em algo que chamo de *dízimo natural*. Se você perceber uma necessidade na vida de alguém e puder ajudar essa pessoa, faça-o. Se puder ser de maneira anônima, melhor ainda. Por exemplo, se alguém precisa de uma refeição, você tem algumas notas no bolso e pode comprar um lanche com hambúrguer, batata frita e refrigerante, vá em frente. (Ou, para uma versão com menos colesterol, dê-lhe um lanche natural e um suco.) Dê um pouco e você ficará surpreso com o quanto sua perspectiva em relação à vida melhorará. O famoso técnico John Wooden disse: "É impossível ter um dia perfeito sem fazer algo por alguém que nunca poderá lhe retribuir".[1]

Embora eu sempre me esforce para fazer a coisa certa, muitas vezes me pego, assim como Paulo, fazendo o que não quero: deixando os necessitados de lado quando estou com pressa. Esquivando-me de quem me trata da maneira errada. Ou pensando: "E se essa pessoa usar o dinheiro para comprar uma garrafa de vinho barato em vez de comida?".

> Se você perceber uma necessidade na vida de alguém e puder ajudar essa pessoa, faça-o.

O que os outros farão com o que você lhes der depende deles. O que depende de você é aprender a ter o coração de um dizimador natural — um doador generoso.

Encaremos a realidade: todos nós somos cheios de defeitos. Há pessoas de quem você gosta e com as quais se sente confortável, e há outras de quem acha difícil gostar, quanto mais amar.

Mas Jesus disse: "Quando fizeram isso ao menor destes meus irmãos, foi a mim que o fizeram" (Mt 25.40). Se lembrarmos que cada pessoa é uma criatura do Deus Todo-Poderoso e colocarmos em nosso coração o dízimo natural, Deus nos encherá o coração, a mente e as finanças, para que possamos dar ainda mais aos outros.

Quando fazemos a coisa certa, não a mais rápida nem a mais barata, nos tornamos como Jesus, que dava com generosidade.

Nisso, sim, você pode investir — para toda a eternidade.

Para pensar...

... e sua vida será cheia de paz.
PROVÉRBIOS 3.2B

Do que você deseja *encher* sua vida? Dinheiro? Saúde? Família? Amigos? Posição? Por quê?

O que faz você feliz de verdade? O que poderia fazer para deixar feliz alguém que você conhece?

Agradeça a Deus por suas bênçãos...
e então abençoe as outras pessoas.
Cada dia é um presente, mas a maneira
de usá-lo depende de nós.

5
Sou todo seu — todos os 96%

> Não permita que a *bondade* e a *lealdade* o
> abandonem; prenda-as ao redor do pescoço...
>
> Provérbios 3.3a

A cena que ocorreu num parque de Tucson, Arizona, num belo dia de verão, foi tudo menos comum — muito embora parecesse, a princípio. Duas mulheres se encontraram num dos bancos para almoçar juntas. Uma delas colocou um bebê-conforto com uma criança entre elas. A outra, um pouco mais jovem, fazia barulhinhos para a nenê e a embalava enquanto elas comiam e conversavam.

No fim do encontro entre as duas, um senhor de idade — do tipo vovozinho — se aproximou e comentou como a criança era bonita. Em seguida, perguntou:

— Quem é a mamãe?

Ambas se entreolharam... e os olhos das duas se encheram de lágrimas. Elas não sabiam o que dizer.

Uma era a mãe adotiva e a outra, a mãe biológica.

Elas haviam acabado de participar de um programa de rádio comigo, falando sobre o grande presente da adoção e como ela é uma expressão de amor extraordinário, de ambas as partes.

A mãe adotiva havia aberto os braços e o coração para receber o filho de outra pessoa como se fosse dela, para amar pela vida inteira.

A mãe biológica amou tanto a criança que pensou mais no bem-estar dela que em si mesma. Decidiu dar o bebê para adoção, a fim de que recebesse amor, cuidado e oportunidades que ela não poderia oferecer.

O programa de rádio havia sido comovente — uma expressão poderosa de amor, que levou lágrimas aos olhos de muitos ouvinte, inclusive aos meus.

As duas mulheres deram uma lição de vida a respeito dos conceitos de amor e lealdade.

O amor não é suficiente por si só, pois ele se desgasta. Talvez você pense: "Se eu amar meu filho o bastante, tudo vai dar certo", mas nada poderia estar mais distante da verdade. Se você só amar seu filho, acabará com um monstrinho dentro de casa. Amor e disciplina são inseparáveis. Se você amar *e* disciplinar seu filho, é bem provável que tudo dê certo.

> O amor não é suficiente por si só, pois ele se desgasta.

O amor não é sinônimo de dois apaixonados entrelaçados nos braços um do outro, olhando embevecidos para um lago numa noite de verão. Se você apenas amar seu cônjuge, isso não será suficiente no longo prazo. Todos os especialistas concordam que o amor deslumbrado — o efeito lua de mel — dura cerca de dois anos. Então, o que fazer entre esse período e 48 anos depois, quando a foto de vocês dois vai parar no jornal em comemoração às bodas de ouro e ambos estão bem enrugadinhos, parecendo um maracujá?

É preciso escolher amar. É necessário ser fiel ao amar. Aqueles que dizem que o amor é uma decisão estão no caminho certo. É fácil amar quando a pessoa é amável. Mas a bênção se encontra em amar o outro mesmo quando ele não é amável. Quando você se compromete a amar seu cônjuge e a permanecer fiel a vida inteira, tem um elo que não pode ser rompido por nenhuma dificuldade nem ameaça de divórcio.

> Aqueles que dizem que o amor é uma decisão estão no caminho certo.

Amor e lealdade significam pensar primeiro nas necessidades do outro, antes das próprias.

Quando Lauren, nossa filha adolescente, convidou um garoto para ir a um jogo conosco, eu lhe perguntei o porquê do convite.

"Porque ninguém gosta dele, pai", foi a resposta que ela deu.

Uau! Aquilo me fez parar e pensar em minha atitude (eu também não gostava muito do rapaz).

Lauren já havia aprendido algo muito importante sobre amor e lealdade. Como diz Provérbios 3.3, tais virtudes jamais devem abandonar você. O amor e a lealdade devem ser parte tão inerente de seu caráter que ficam presas "ao redor do pescoço".

Quando você demonstra amor e lealdade, acaba se destacando num mundo instável e infiel, no qual todos procuram proteger o número um — ou seja, a si próprios. É por isso que lemos com tanto interesse as histórias de heróis e heroínas nos jornais e na internet. São relatos de gente que fez diferença porque escolheu arriscar a própria vida para salvar outros. São pessoas boas e comuns, que personificam aquilo que Deus chamou cada um de nós para ser.

Religiosos ou não, todos nós exercemos fé e fidelidade de diferentes formas. Por exemplo, quando você passa por um sinal verde, exerce a fé de que poderá prosseguir sem que ninguém o atinja — de que as outras pessoas respeitarão o farol vermelho ao se aproximarem do semáforo. Você é fiel indo para o trabalho todos os dias... caso contrário, acabaria perdendo o emprego. Você é fiel no amor a seu cônjuge... e ao recusar as iniciativas de outros que poderiam parecer mais "atraentes".

> **Religiosos ou não, todos nós exercemos fé e fidelidade de diferentes formas.**

Existem pessoas infiéis? Sim, aos montes. Parte do alto índice de divórcios se deve à infidelidade. Mas como são felizes os fiéis, que honram seus votos matrimoniais! Como são felizes os que levam uma vida correta, que escolhem demonstrar amor e lealdade!

Eu amo a frase: "Confiamos em Deus. Todos os outros pagam à vista". Ou seja, Deus é o único que não falha conosco. As pessoas falham — até mesmo as que mais amamos. Gostamos de colocar atletas, estrelas do cinema, músicos e pastores num pedestal, mas a única coisa que eles podem fazer é cair desse pedestal, porque ninguém é perfeito.

A fé em Deus é o que nos faz atravessar os momentos difíceis. Fé é crer quando não conseguimos ver o resultado final. "A fé mostra a realidade daquilo que esperamos; ela nos dá convicção de coisas que não vemos" (Hb 11.1).

Jesus sempre foi fiel à sua missão. Enquanto andou neste mundo, revelou quem ele era e é em tudo o que fazia: transformar água em vinho, curar o cego, ressuscitar Lázaro, alimentar a multidão com apenas cinco pães e dois peixinhos que um menino havia levado para almoçar.

Por causa de nossa natureza humana, às vezes somos fiéis e amorosos, outras vezes não. Quando, porém, não fazemos a coisa certa, não devemos simplesmente ficar nos martirizando por esse motivo. Isso não nos ajuda nem a ninguém. Em vez disso, precisamos pedir perdão. Se nos desculparmos, a vida continua. Talvez não da mesma maneira, caso tenha ocorrido uma grande quebra de confiança, mas esse esforço é tudo o que não podemos deixar de fazer.

Portanto, quando você pisar na bola, assuma. Isso vale para todas as áreas da vida, seja no casamento, seja numa parceria de negócios, seja em qualquer outro relacionamento.

Sou grato todos os dias pela fé inabalável de minha mãe em Deus... e em mim. Ela tinha convicção de que seu "Ursinho" daria certo na vida — até mesmo quando eu não sabia se conseguiria. Nos bastidores, ela continuava a orar por mim (e devo dizer que havia bons motivos para ela orar, por uma série de razões). Era amorosa e fiel. Nunca desistiu.

Nem Jesus, mesmo quando seus discípulos eram burros como uma porta. Na noite em que todos estavam num barco e uma grande tempestade começou no mar, os doze entraram em pânico. Eles acordaram Jesus, aterrorizados por achar que todos iriam morrer.

A reação de Jesus? Ele ficou incomodado. "Vocês me acordaram por quê? Por causa de uma chuvinha? Ah, seus homens de pequena fé!" (ver Mt 8.26).

Se você é ou não uma pessoa de fé, o fato é que passará pelas tempestades da vida. Então, o que Jesus estava dizendo com essa resposta?

Esta é a tradução Leman: "Ser cristão não lhe garante 'passe livre' das tempestades da vida. Contudo, se você crer em mim, vou estar a seu lado sempre, até nos confins da terra" (ver Mt 28.20; At 1.8).

Deus não está interessado em brincar de fazer um acordo com você.

Na verdade, ele *nunca* está interessado em *nenhum* acordo.

"Que acordo é esse?", você pergunta.

O mesmo que eu tentei fazer com Deus a vida inteira, até a fé que minha mãe tinha passar a ser minha também: "Senhor, sou todo seu. Você me ganhou. Fique com todos os 96%".

Com Deus, é 100% ou nada: 100% de confiança, 100% de compromisso, 100% de seu coração.

Deus não quer 96% de sua vida. Ele quer *tudo*.

Mas há também uma promessa ligada a isso, um acordo melhor que qualquer um que você conseguiria fazer com um ser humano. Tiago 4.8 diz que, quanto mais você se aproxima de Deus, mais ele fica perto de você. Em contrapartida, como diz a frase de para-choque de caminhão: "Se você se sente longe de Deus, adivinhe quem se afastou?".

O ônus recai sobre nós. O que a Bíblia quer dizer então? "Eu serei real para você e terei comunhão com você, mas a escolha é sua. Você precisa se aproximar de mim. E, quando decidir fazê-lo, saberá que meu amor e minha lealdade não têm fim."

Para pensar...

Não permita que a bondade e a lealdade o abandonem; prenda-as ao redor do seu pescoço...
Provérbios 3.3a

Coloque fones de ouvido e você não ouvirá nada. Mas é só apertar o botão de ligar que as súbitas vibrações do som envolverão você.

Para que algo produtivo aconteça entre você e seu Criador, adivinhe quem precisa apertar o botão?

Você.

———

A bondade e a lealdade de Deus o envolvem e estão disponíveis; basta você aceitar.

6
Deus precisa de poucos e bons — homens e mulheres

> Então você conseguirá favor e *boa reputação*,
> diante de Deus e das pessoas.
>
> Provérbios 3.4

Há anos conheço Jerry Kindall, ex-jogador de beisebol que venceu a liga norte-americana com o Minnesota Twins. Ele também foi técnico do time da Universidade do Arizona, onde ganhou três títulos nacionais da liga universitária. Assim como a maioria dos atletas que já venceram campeonatos nessa modalidade, ele havia recebido um anel como premiação — e o dele faria até um cavalo engasgar. Era gigante, impossível passar despercebido.

Certo dia, encontrei a esposa de Jerry. Ela estava com um belo pingente de diamante.

— Uau! — exclamei. — Que colar lindo!

— Ah! — disse ela toda contente. — Eu não contei para você? Foi o meu Jerry que me deu.

Sem brincadeira, na hora eu soube instintivamente de onde aquele pingente viera.

— Não me diga que foi o anel!

Ela fez que sim com a cabeça.

— Isso mesmo.

Jerry havia levado o anel de campeão para o joalheiro, pedido que ele retirasse o diamante e fizesse o colar para a esposa, derretesse o anel e fizesse quatro broches para os filhos.

Mais tarde, quando encontrei Jerry, perguntei:

— Jerry, como você pôde fazer aquilo?

Eu continuava chocado, pois sei que atletas profissionais são pessoas competitivas, que gostam de vencer, e o anel era um símbolo da vitória. Ainda guardo minha placa comemorativa do colégio, e aquele cara manda derreter o anel?

Ele sorriu.

— Na verdade, foi uma das coisas mais fáceis que já fiz na vida. Certo dia, estava sentado na igreja, brincando com o anel e o admirando. Foi aí que soube que eu precisava compartilhá-lo com as pessoas que mais amo.

"Uau!", pensei. "Isso é que é um ego no lugar."

Algumas das pessoas que ganham anéis de campeão os usam para que todos possam ver. Mas não o Jerry. Ele é do tipo sal da terra, um homem que coloca em primeiro lugar seus entes queridos, alguém cujo nome evoca sorrisos e gestos de aprovação por onde passa, em razão de sua integridade.

Contraste com Bernie Madoff, o corretor de valores que começou com 5 mil dólares de economias como instalador de sistemas de irrigação e salva-vidas e logo subiu às posições de gestor de investimentos e presidente executivo da bolsa de valores NASDAQ. Ele obteve acesso ao mais alto escalão de Washington e contribuiu para campanhas do Partido Democrático. Doou cerca de 6 milhões de dólares para pesquisas sobre linfoma e contribuiu para diversas outras causas.

Em 2009, porém, Madoff confessou a culpa por onze crimes federais e admitiu ter transformado seu negócio de administração de fortunas num grande esquema em pirâmide que defraudou milhares de investidores em bilhões de dólares — quase 65 bilhões. Ele chegou a desfalcar os próprios familiares.[1]

Madoff teve um grande nome diante das pessoas — pelo menos por um tempo —, mas, por trás dos panos, estava dando calote no dinheiro delas. E depois de todos os seus esforços, que legado seu nome deixou? De vergonha para seus amigos e familiares. Seu nome ficará ligado para sempre a um esquema em pirâmide de longa duração, ao passo que suas doações para instituições de caridade são menosprezadas ou mencionadas com vergonha, porque o dinheiro não era dele.

> Nós, homens e mulheres, temos uma visão limitada. Somos enganados com a maior facilidade.

É fácil ter uma boa reputação diante dos outros. Isso acontece porque nós, homens e mulheres, temos uma visão limitada. Somos enganados com a maior facilidade (mas não as crianças — elas percebem rápido as coisas).

É por isso que Provérbios 3.4 é tão profundo. O texto não diz que você terá uma boa reputação "diante das pessoas", mas, sim, "diante de Deus e das pessoas". Não importa o que você faça, é impossível enganar a Deus. Mas, se você se concentrar em agradar ao Senhor, terá uma boa reputação em todos os aspectos, ou seja, garantirá o favor tanto de Deus quanto das pessoas.

Para você, qual é a importância de ter uma boa reputação?

Ao pensar em uma boa reputação, lembro-me imediatamente de duas pessoas que foram fundamentais no início de minha carreira.

Uma delas é Bob Svob, muito influente no auxílio ao desenvolvimento de minha trajetória profissional. Quando eu não passava de um rato de dormitório, ele viu algo em mim. Escolheu-me dentro do sistema de residência universitária e me confiou a responsabilidade de preceptor auxiliar dos alunos. Trabalhei sob sua supervisão por dez anos e, durante todo esse período, nunca ouvi ninguém falar nada de mal sobre Bob Svob. (Mas posso lhe passar o CEP de todas as pessoas que não gostam de mim.) Bob também era um homem do tipo sal da terra, que trabalhava duro como ninguém, sempre fazia a coisa certa e me lembrava o tempo inteiro de fazer o mesmo e de tratar as pessoas com justiça.

> **Para você, qual é a importância de ter uma boa reputação?**

Certo dia, em minha estupidez, entrei em seu escritório e me sentei.

— Preceptor, estou com algumas dificuldades — comecei e passei a desfiar a infinidade de problemas que eu estava enfrentando. Afinal, eu era o administrador do "código de conduta", por isso precisava lidar com todas as idiotices que os universitários costumam fazer. E depois precisava lidar com os advogados que defendiam os alunos e com o advogado da universidade, que atuava como promotor.

Sabe qual foi o comentário de Bob depois de ouvir minha longa ladainha?

— Bem, Kevin, se você não tivesse esses problemas, eu não precisaria lhe dar o emprego, não é mesmo?

Aquilo colocou as coisas na perspectiva correta para mim, um jovem de 29 anos começando a carreira. Nunca me esqueci daquelas palavras. Embora ele as tenha dito com muita educação, eu me senti burro como uma porta.

— É claro, Bob, você está certo.

Bob sempre tinha a habilidade de ir direto ao cerne da verdade em qualquer questão. Mas ele também sabia incentivar — dedicava tempo para elogiar quando alguém fazia um bom trabalho.

Hoje, aos 93 anos, ele continua a ser um incentivador. Fui a um churrasco na casa dele há pouco tempo, e a primeira coisa que fez foi me incentivar. O "Bob do regulamento", como o chamávamos na universidade, continua a correr três quilômetros por dia e joga golfe de três a quatro vezes por semana. Ele sempre manda a bola no centro do campo de golfe, raramente para a região de grama alta. E ainda lembra as pessoas de fazer a coisa certa — sempre. Bob preservou sua boa reputação diante de Deus e das pessoas.

Outra pessoa que trabalhava com Bob era Bill Foster, o preceptor associado, que era meu chefe direto. Nos bastidores, foi quem fez tudo para que eu me tornasse preceptor. Ele viu algo em mim que lhe disse que eu me daria bem naquela função dentro de uma grande universidade.

Bill adora a história de um dos outros responsáveis pelo dormitório, que reclamou: "O Leman é íntimo demais dos alunos". Rimos dessa reclamação algumas semanas atrás, enquanto comíamos comida mexicana.

O problema está na mentalidade de que é necessário manter certa distância para ter autoridade sobre os jovens. Mas Jesus sempre se relacionava com as pessoas de maneira próxima, não é mesmo? Ele as amava e chegava ao cerne da questão com seu toque pessoal. Tudo o que ele fazia estava ligado a relacionamentos pessoais.

> Jesus sempre se relacionava com as pessoas de maneira próxima.

Na sociedade atual, ensinamos os pastores a não se aproximar demais do rebanho, a manter uma distância segura. No entanto, quando você pensa em pessoas que ama e admira de verdade, o que as torna tão atraentes? Elas demonstram interesse pessoal por você.

Por causa de indivíduos como Bob e Bill, descobri que o relacionamento — a conexão — é o que faz o respeito e a integridade aflorarem para que outros ouçam o que você tem a dizer. Então, por causa de sua boa reputação e da consistência de suas ações, as pessoas passam a confiar em você. Quando eu trabalhava para Bob e Bill, minha forma de lidar com os alunos estabeleceu o padrão para minha vida inteira.

Quando Bill fez 85 anos, só por brincadeira, espalhei 85 moedas de um dólar e deixei um cartão de aniversário na entrada de sua casa. Nunca me esquecerei da boa reputação de Bill Foster, que na universidade se tornou para mim mais um pai que um colega de trabalho e chefe, alguém cujo legado de se relacionar de maneira pessoal com os outros tem sido levado adiante por meu intermédio.

Se existe uma palavra para abranger o que faço em redes sociais, essa palavra é *pessoal*. Trato os outros de maneira pessoal. Sempre fui pessoal com todos. Interesso-me pelo que as pessoas fazem. Acho que só essa semana dei doze livros para alguns indivíduos depois de conversar com eles, pois imaginei que poderiam ser úteis. Se você acha que isso não é grande coisa, talvez isto o ajude a entender melhor: as pessoas sempre presumem que os autores ganham os livros que escrevem, mas em geral eles pagam 50% do preço de varejo para comprar o próprio livro. Portanto, se um autor lhe der um livro que escreveu, é provável que ele o tenha comprado. No entanto, faço isso porque amo ver o sorriso no rosto das pessoas e também porque gosto de ajudar os outros e de ver as famílias prosperarem.

Recentemente, dei a um jogador de futebol americano universitário o livro The Way of the Shepherd [O caminho do pastor], que escrevi em coautoria com William Pentak, porque ele havia decidido se tornar técnico. Eu lhe disse: "Este livrinho está cheio de princípios que funcionarão em qualquer situação de vida na qual você for colocado".

Ele me agradeceu em profusão.

Agora, será que ele vai ler, estudar e usar o livro? Não faço a menor ideia. Espero que sim. Acredito que se você é uma pessoa abençoada na vida, no âmbito material ou em outros aspectos, deve abençoar os outros. Se você não o faz, preciso perguntar: "Qual é o seu problema? Não entende que os presentes que você recebe vêm de seu Criador?".

> Se você é uma pessoa abençoada na vida, no âmbito material ou em outros aspectos, deve abençoar os outros. Se você não o faz, preciso perguntar: "Qual é o seu problema?".

Todos nós precisamos parar e pensar: "Quem acreditou em mim?". Que pessoas, como Bob e Bill fizeram comigo, influenciaram quem você é, seu caráter, sua reputação e orientação na vida?

Alguns são capazes de encher uma das mãos citando essas pessoas, outros têm dificuldade de encontrar dois que sejam. Já outros podem começar a escrever uma longa lista.

Entretanto, mesmo que ninguém acredite em você, com todas as suas imperfeições e falhas, Deus, seu Criador, acredita.

Muitas pessoas têm boa reputação diante dos outros por sua notoriedade nos negócios, nos esportes ou em qualquer outra área que você imaginar. Depois que morrem, porém, que fama elas têm? É passageira ou essas pessoas tinham um relacionamento com o Criador? Se você conhece o Deus vivo de maneira íntima e pessoal e fez o compromisso de servi-lo pelo resto da vida, sua boa reputação já está estabelecida perante o Senhor. Se não é o caso, nada do que você ganhou o acompanhará na vida que se segue à sepultura.

Como, então, obter favor e conquistar uma boa reputação diante de Deus e das pessoas? Demonstrando bondade, amor e compaixão. A vida é curta e, quanto mais velhos ficamos, mais nos damos conta de como a areia do tempo passa rápido.

Entretanto, gostaria de esclarecer algo. Observe que Provérbios 3.4 diz "boa reputação", não "reputação perfeita". Deus não está interessado em sua "versão perfeita", porque isso não existe deste lado da eternidade. Ele se interessa por seu "melhor". Uma

> Quanto mais velhos ficamos, mais nos damos conta de como a areia do tempo passa rápido.

boa pessoa pode cometer deslizes, mas é o que você faz com eles — sua reação — que faz toda a diferença do mundo. Você engole o orgulho, admite o erro, pede perdão e segue em frente? Ou fica remoendo a falha até se chafurdar na lama? Ou quem sabe você aponte o dedo para os outros: "Eu não teria feito isso se ela não houvesse me obrigado" ou "Não sou um sucesso na vida porque ele me prejudicou".

Os vencedores na vida — aqueles que têm boa reputação diante de Deus e das pessoass — pegam a rejeição e o fracasso e os transformam em degraus para o sucesso.

> **Deus não está interessado em sua "versão perfeita". Ele se interessa por seu "melhor".**

John Wooden foi um admirado técnico de basquete na Universidade da Califórnia e desfrutava o respeito de todos. Viveu até os 99 anos. O interessante é que ele nunca mandou seu time vencer; em vez disso, enfatizava que o jogo deveria ser jogado da maneira correta.

Wooden era um homem de poucas palavras, mas as que saíam de sua boca eram escolhidas com cuidado. Elas continuam vivas, como um legado de sua boa reputação.

Leia algumas de suas pérolas:[2]

> Preocupe-se mais com seu caráter que com sua reputação, porque o caráter é quem você é de verdade, já a reputação é apenas quem os outros pensam que você é.

> As coisas dão certo para quem faz o certo com as coisas que recebe.

O talento é dado por Deus. Seja humilde. A fama é dada pelos homens. Seja grato. A arrogância é dada por si mesmo. Tome cuidado.

É impossível ter um dia perfeito sem fazer algo por alguém que nunca poderá lhe retribuir.

Nunca dê desculpas. Seus amigos não precisam delas e seus inimigos não acreditarão.

É incrível quanto se pode realizar quando ninguém se importa com quem receberá o crédito.

A habilidade pode levar você ao topo, mas é necessário caráter para mantê-lo lá.

Escolha uma dessas citações hoje e tente colocá-la em prática. Se você o fizer, dentro de uma semana, sua vida — e a vida de tantas outras pessoas ao seu redor — será transformada. E você estará no caminho certo para ter uma boa reputação diante de Deus e das pessoas.

Eu garanto.

Para pensar...

Então você conseguirá favor e boa reputação, diante de Deus e das pessoas.
Provérbios 3.4

Qual é a diferença entre sua "versão perfeita" e sua "melhor versão"? Por que você acha que Deus está interessado em uma e não na outra?

Se você pudesse escolher um legado para deixar neste mundo, qual seria ele?

———

É melhor ser uma pessoa de caráter...
do que ser um mau-caráter.

7

Tu és o oleiro e eu sou o barro... mas tenho algumas sugestões a fazer

Confie no Senhor de todo o coração...
Provérbios 3.5a

Cresci em um lar de classe média baixa, com pais que não tinham um centavo sobrando para nada. Minha mãe, em especial, não tinha uma vida fácil. Ela trabalhava fora numa época e num bairro em que todas as outras mães eram típicas donas de casa.

Mas ela contava com algo que muitas das outras mães não tinham: confiança e fé. Ela confiava em Deus mesmo quando a situação era difícil. Confiava que seus três filhos seguiriam o caminho que Deus estava preparando para eles. E acreditava em mim — mesmo quando não tinha nenhum bom motivo para crer que eu daria certo na vida. E eu? Por muito tempo, fiz o máximo para evitar contato com qualquer coisa que lembrasse o cristianismo.

No entanto, quando minha mãe me pegava, me

arrastava até a igreja e insistia que eu me sentasse com ela, eu ouvia vez após vez a melodia do hino "Crer e observar" ser dedilhado pela senhora que tocava o velho órgão. Até hoje, a letra "Crer e observar tudo quanto ordenar; o fiel obedece ao que Cristo mandar"[1] está guardada em minha memória.

A igreja que frequento hoje é muito diferente da origem simples da igreja de minha mãe. Parece mais com uma noite de sábado de rock'n'roll. Lá não se ouvem muitos hinos, mas sim músicas de louvor com o toque da guitarra e o compasso da bateria. Às vezes, porém, sinto saudade da simplicidade e beleza dos hinos antigos, cheios de palavras poderosas, mesmo quando eu não era muito fã de ouvi-los.

> Sua confiança em Deus me pegou... e acabou ficando.

Veja bem, depois de tanto fugir da fé vivida por May Leman, no final das contas sua confiança em Deus me pegou... e acabou ficando. Desde então, transmiti a confiança de minha mãe em Deus para meus filhos também. Hoje May Leman está no céu, mas seu legado continua aqui na terra — por meio de minha vida, de meus filhos e agora de meus netos.

A confiança tem dois lados: dar e receber. Se você confia em Deus hoje é porque alguém antes de você confiou nele de todo o coração e causou um impacto em sua vida. Talvez agora seja um bom momento de retribuir o favor, isto é, de contribuir com a vida de outra pessoa da mesma maneira, sendo um exemplo do que é confiar no Senhor.

Mas, ao fazer isso, não se esqueça de fazê-lo de todo o coração.

É aí que se encontra o problema. Já me referi anteriormente ao *desenvolvimento da carnalidade*. Trata-se da batalha interior à qual o apóstolo Paulo se refere em Romanos 7.14-20: "Eu não me entendo. Digo para mim mesmo que não vou fazer essas coisas, mas vou lá e faço" (versão Leman). Que declaração perfeita da condição humana com a qual todos nós lutamos! Se sabemos qual é o certo a se fazer, então por que não fazemos?

> Se sabemos qual é o certo a se fazer, então por que não fazemos?

Porque dentro de nós acontece um teste contínuo de vontades. Oramos dizendo: "Seja feita a tua vontade, assim na terra como no céu" (Mt 6.10), mas é mais fácil falar do que fazer. Por quê? Porque Deus nos deu cérebro, dons, habilidades e livre-arbítrio. A ideia de ser submisso a qualquer coisa ou pessoa, inclusive a Deus, é bem ameaçadora para muitos de nós.

A luta consiste em abrir mão do controle. Todos nós temos inseguranças às quais gostamos de nos apegar. Nossa inclinação natural é não abdicar do controle de nossa vida. Dizemos: "Senhor, sei que tu és o oleiro e eu sou o barro... mas tenho algumas sugestões a fazer".

É como a criança que tenta pular do trampolim para a piscina pela primeira vez. Ela quer mergulhar?

Com certeza. E por que não mergulha? Porque está com medo.

Sempre dá para saber quando é a primeira vez da criança, porque ela anda para a frente e para trás — sobe no trampolim, volta para o concreto ao redor da piscina, depois sobe no trampolim de novo. Deixa outras crianças passarem na sua frente.

Mas depois que a criança, por algum motivo, decide dar o mergulho e molhar o rosto, costuma se sair como um peixinho. Observei esse processo em primeira mão com meus dois netos, e agora ambos nadam muito bem.

Vamos ampliar um pouco mais a analogia. Ou buscamos a excelência na vida saltando do trampolim, ou ficamos sentados à beira da piscina, vendo a vida passar. A terceira opção é simplesmente entrar na água, fazendo o que precisamos dia após dia para sobreviver, sem nunca experimentar a emoção de pular do trampolim.

Onde você está agora?

- Pulando do trampolim? Aproveitando a vida e vivendo como ela deve ser vivida, concentrando-se nos relacionamentos e fazendo diferença na vida dos outros?
- Sentado do lado da piscina, vendo a vida passar, desejando que ela não fosse tão chata? Você está desperdiçando a vida que Deus lhe deu?

- Simplesmente entrando na água sem emoção, na tentativa de manter a cabeça acima das ondas porque a vida parece difícil demais para mudar?

Poucas pessoas saltam do trampolim. A maioria fica sentada ao lado da piscina ou entra na água sem emoção. É por isso que *reality shows* fazem tanto sucesso. As pessoas comumente não gostam da própria vida, então precisam viver por meio da experiência de outra pessoa. Assim, esperar para ver quem será o próximo eliminado do programa é o ponto alto da semana delas.

> A vida é passageira; ela não vai durar. Essa ideia não deveria nos colocar a todo vapor, em vez de nos deixar à margem?

A vida é passageira; ela não vai durar. Essa ideia não deveria nos colocar a todo vapor, em vez de nos deixar à margem? Em que área você gostaria de fazer a diferença? Então, por que você não faz?

Tudo se resume à confiança, não é mesmo? "E se eu me aventurar nesta área e falhar? Será que as pessoas vão rir de mim?"

E se você falhar? E se as pessoas rirem? O mundo vai acabar? Ou amanhã você vai acordar e escovar os dentes como sempre?

Se você confia em Deus de todo o coração, não precisa temer nenhum fracasso terreno, pois seu lugar no céu está garantido.

Mas será que seu medo está ligado a algo mais do que confiar em Deus? Estaria relacionado a algo que chamo de "engano da perfeição"? Falamos um pouco sobre isso no último capítulo, mas quero abordar o assunto de novo, já que é muito importante e impede as pessoas de viver como gostariam e de confiar em Deus de todo o coração.

Quando dou palestras, costumo fazer esta pergunta ao público:

— Quantos de vocês têm desenhos afixados na geladeira que foram feitos por crianças pequenas, sejam seus filhos, sejam filhos de outras pessoas?

Depois que vários levantam a mão, pergunto:

— E aí, os desenhos são bons?

Então respondo a mim mesmo, usando uma voz de vovozinha:

— Com licença, dr. Leman, eles são preciosos! Meu neto Joãozinho desenhou isto daqui para mim. É um avião.

— Ahn, senhora — digo eu —, conversei com o pequeno João e ele me disse que é um dinossauro.

— Bem, ainda assim o desenho é precioso! — afirma a vovó.

Eu concordo. O desenho pode não ser perfeito, mas mesmo assim é precioso.

É assim que Deus nos vê: como um desenho imperfeito que não tem tudo no lugar, mas é muito precioso.

No entanto, tantos de nós nos viramos e dizemos: "Bem, Senhor, tu és o oleiro e eu sou o barro. Molda-me, usa-me. Sou teu, ó Deus... bem, com exceção do meu plano de aposentadoria." Quero ficar com isso e cuidar sozinho, tudo bem?".

Mas a Bíblia diz que servimos a um Deus zeloso. Ele não quer apenas o que estamos dispostos a dar. Ele quer que confiemos a ele todo o coração, toda a vida e todos os nossos bens.

> "Senhor, tu és o oleiro e eu sou o barro. Molda-me, usa-me. Sou teu, ó Deus... Bem, com exceção do meu plano de aposentadoria."

Ele diz: "Se você me ama, confie em mim e faça o que as Escrituras mandam".

É tão difícil parar o carro da vida e deixar Deus assumir o volante, não é mesmo? Especialmente quando estamos tão acostumados a dirigir sozinhos!

Tudo bem deixar Deus ficar no controle por um tempo. Até eu dizer:

— Senhor, o dia está tão bonito! Deixe-me dirigir um pouco.

Então vou para o banco do motorista, empurro Deus para o assento do passageiro e saio a todo vapor.

> Vou para o banco do motorista, empurro Deus para o assento do passageiro e saio a todo vapor. Dois quilômetros depois na estrada da vida, bato o carro.

Dois quilômetros depois na estrada da vida, bato o carro.

A primeira palavra que sai de minha boca é:
— Senhor...
— É você, Leman? — Deus diz.
— Sim, sou eu. Será que da para chamar o reboque? Eu saí da estrada e amassei o carro.

— Já está a caminho, gordinho.

Deus é capaz de nos impedir de pecar se confiarmos nele e o deixarmos no controle.

Quantas vezes precisaremos ficar nesse vai e vem de assumir o controle e abrir mão dele até entendermos de verdade? Às vezes balanço a cabeça em desaprovação por eu ser tão humano e aprender tão devagar.

Todos nós temos necessidades. Ninguém é perfeito. Mas todos recebemos a ordem de ter uma fé confiante, semelhante a de uma criança.

Lembro-me de ouvir minha mãe falando sempre sobre ter Jesus no coração. Certo dia, quando eu tinha por volta de 5 anos, estávamos almoçando e perguntei: "Se Jesus está no meu coração, será que ele não fica molhado quando eu tomo leite?".

Ao que parece, eu não entendia muito de fisiologia também.

Mas observe que eu não questionei a existência de Jesus nem tentei refutá-la. Eu aceitava que ele estava em meu coração e simplesmente fiz uma pergunta, com minha fé infantil, para tentar entendê-lo melhor.

No mundo complicado de hoje, há uma escolha simples que podemos fazer para eliminar o estresse de tentar ficar no banco de motorista da vida: "Crer e observar tudo quanto ordenar; o fiel obedece ao que Cristo mandar".

Para pensar...

Confie no Senhor *de todo o coração...*
Provérbios 3.5a

Em que ocasiões você tem mais tendência de tirar Deus do volante e sentar no banco do motorista como se fosse um piloto de Fórmula 1?

A letra de um antigo corinho infantil diz: "Fraco sou, mas forte ele é". Você vive como se fosse o contrário, "forte sou, mas fraco ele é"? Isso se chama *ilusão humana*. O que você fará para mudar?

A confiança não acontece em dose única.
Trata-se de um relacionamento contínuo.

8
Deus não quer ser seu número um

... não dependa do seu próprio *entendimento*.
Provérbios 3.5

Já ouviu alguém dizer: "Deus falou e eu acredito. Está resolvido"?

Sempre fico meio descrente quando ouço isso. Declarações como essa sempre me deixam um pouco irritado. Será que Deus nos criou para nos tornarmos seres pensantes ou para sermos autômatos que devem entrar na fila como patinhos atrás da mamãe ou do papai pato? O Senhor deseja que entendamos quem ele é, não que apenas creiamos em algo ou façamos alguma coisa porque ele disse e somos forçados a acreditar.

O estilo divino não é *autoritário*. Ele não consegue o que quer fazendo você tremer nas bases — segurando-o pelo cangote do pescoço ou puxando suas orelhas com a ameaça: "É melhor você fazer as coisas direito, senão...". Deus não diz: "Vou fazer um raio cair em sua cabeça se você me questionar. Como ousa! Eu estou no controle. Eu *sempre* estou no controle. Então acredite no que digo. Não faça perguntas. Você é um mero ser humano insignificante, um grão de areia debaixo dos meus pés. Faça exatamente o que eu mandar".

Ele também não é *permissivo*. Deus não diz: "Oh, querido, você fez tudo errado de novo? Vamos fazer um curativo e deixá-lo bonitinho pra você ir viver sua vida de novo por conta própria". Não é um Deus da Disneylândia, que diz: "Ah, está sem dinheiro este mês? Vou arranjar um prêmio na loteria para você!". Não é um Deus do tipo *laissez-faire*, que aceita qualquer coisa, a quem você pode tratar como se fosse uma máquina automática de vendas para conseguir o que quer.

Não, Deus *tem autoridade*. Ele não lhe puxa pelo braço nem pelas orelhas e diz: "Você *precisa* reconhecer meu poder". Ele simplesmente é a autoridade suprema sobre todas as coisas, o governante do céu e da terra, o Deus perante quem todo joelho se dobrará!

Todos nós comparecemos ao julgamento divino. Está escrito:

> "Tão certo como eu vivo", diz o Senhor,
> "todo joelho se dobrará para mim,
> e toda língua declarará lealdade a Deus."
> Romanos 14.11

Deus deve ser temido de forma positiva, por quem ele é.

O temor do S<small>ENHOR</small> é o princípio do conhecimento;
>todos que obedecem a seus mandamentos mostram bom senso.

Louvem-no para sempre!

Salmos 111.10

Fica claro que a obediência aos princípios de Deus — a suas regras, embora muitos de nós abominem essa palavra — confere bom senso, ou seja, nos torna sábios.

Provérbios 3.5 diz: "Confie no S<small>ENHOR</small> de todo o coração; não dependa de seu próprio entendimento". Quando confiamos nas pessoas, a única coisa que elas podem fazer é cair de seu pedestal.

Há um dito popular fantástico: "Se você vir uma tartaruga no topo de uma cerca, pode saber que ela não chegou lá sozinha". Por nossa conta, nós, seres humanos, não somos muito inteligentes. Uma olhada rápida nas manchetes ou notícias do dia na internet prova em quanta confusão conseguimos nos meter. E nenhum de nós — nem mesmo a pessoa mais inteligente do mundo — está imune.

> "Se você vir uma tartaruga no topo de uma cerca, pode saber que ela não chegou lá sozinha."

Se, porém, reconhecer quem é Deus — o Criador do Universo, o seu Criador, que o conhece muito melhor do que você mesmo — e escolher não se apoiar em seu próprio entendimento, mas buscar a Deus, você chegará ao "princípio do conhecimento". Não existe oferta melhor que essa!

Mas nós, seres humanos, gostamos das coisas em pequenas doses, como aqueles peixes que simbolizam o cristianismo na parte de trás dos carros e as várias frases bonitinhas que as pessoas inventam. Alguém já lhe disse: "Deus é o número um em minha vida?"

Parece "religioso" e bom, não é mesmo? Pelo menos superficialmente.

Bem, Deus não quer ser seu número um. Ele não é um número nem precisa de um número. Deus é Deus. Ele se encontra num plano diferente de você, que é criatura dele. Dizer "Deus é meu número um" é uma tentativa de pegar as rédeas e categorizar o Senhor como se ele lhe pertencesse. Ele é o Alfa (o princípio) e o Ômega (o fim) de tudo, muito superior a você.

> **Deus é Deus. Ele se encontra num plano diferente de você, que é criatura dele.**

A sociedade moderna esbanja irreverência. O nome de Deus é usado em momentos de frustração e raiva. Mas essa seria a melhor maneira de se dirigir ao ser mais supremo do universo? É esse tipo de atenção que você quer receber do Todo-Poderoso? Afinal, quando alguém fala meu nome, eu viro o rosto e dou atenção. Quando você chama o nome de Deus, ele vira o rosto e lhe dá atenção.

Talvez todos nós devêssemos reunir uma dose saudável de temor e separar tempo para entender quem é Deus. Nossa perspectiva sobre ele — maculada por experiências anteriores com supostas pessoas "de Deus" — não é suficiente. A única maneira de compreendê-lo de verdade é lendo suas palavras na Bíblia e escolhendo ter um relacionamento pessoal com ele. Afinal, não dá para conhecer alguém sem conhecer sua história, quem ele é e qual é sua missão, não é mesmo?

Imagine que Jesus está indo para sua cidade hoje. Ninguém além de você sabe dos planos dele, porque é a única pessoa que ele quer visitar. Você terá o dia inteiro para perguntar a Deus pessoalmente todas as dúvidas que já teve sobre fé, criação, mistérios do universo, por que coisas boas acontecem com pessoas más e coisas ruins acontecem com pessoas boas, além de tantos outros dilemas que você enfrenta há anos.

> Imagine que Jesus está indo para sua cidade hoje.

Depois do dia com Jesus, como você acha que estaria sua fé?

"Bem, minha fé estaria inabalável", você poderia afirmar. "Eu ficaria em fervor pela causa de Deus. Nada poderia me deter."

Tolice! Você voltaria a ser a mesma pessoa rapidinho, assim como aconteceu com os discípulos. Isso se chama condição humana. Assim é porque, quando você conta apenas com a própria compreensão, é muito mais fácil duvidar, voltar aos velhos padrões de escolhas ruins ou simplesmente ficar em cima do muro.

Se os discípulos, que andavam e conversavam com Jesus todos os dias, não entendiam quem ele era de verdade, o que leva você a pensar que em seu caso seria diferente?

Tomé sempre leva a culpa por duvidar — por ter colocado os dedos nas marcas dos cravos nas mãos de Jesus a fim de acreditar que ele havia mesmo ressuscitado. Mas os outros discípulos também não estavam no mesmo barco de dúvida?

E nós não temos a mesma facilidade de duvidar hoje? Sempre gostei dos discípulos, pois eles se parecem comigo: cabeças-duras, sempre carentes de entendimento quando tentavam compreender coisas profundas.

Nós, seres humanos, temos a tendência de nos sabotar. Ouvimos pessoas "religiosas" comercializar milagres (com promessa de libertação se doarmos "apenas" cem pilas para o sorridente e bem vestido evangelista da televisão) e esperamos que os milagres aconteçam.

> Tantas pessoas oram e sentem que não recebem respostas nem resultados!

Mas eles não vêm. E nos encontramos no mesmo lamaçal de antes, com filhos malcriados, um casamento difícil e sem possibilidade de emprego que consiga nos tirar das dívidas.

Tantas pessoas oram e sentem que não recebem respostas nem resultados! Acontece que as orações delas se parecem mais com a fé errática de um vendedor de porta em porta: "Se eu bater em muitas portas, alguém vai abrir e eu farei uma venda".

Mas, se você confia no Senhor de todo o coração e não se apoia no próprio entendimento, não tem um compromisso pela metade. Seu compromisso é total. E ter um compromisso total significa que você confia em Deus para assumir o controle... *e abre mão dele*.

Você entrega as rédeas de sua vida por completo ao Deus que nos ama, que se importa conosco e que cuida de cada um de nós individualmente. Ele ama você e o chama pelo seu nome. Você não é apenas um dentre os bilhões de seres humanos que habitam este planeta. O Senhor conhece cada movimento que você faz, cada pensamento que você tem... até os mais aleatórios que aparecem enquanto você toma seu café pela manhã.

Por isso, deixe-me perguntar: se Deus realmente é quem ele afirma ser — o Criador do universo e de tudo que nele há —, então por que agimos como se ele não pudesse nos ajudar com os problemas que enfrentamos? É por que não entendemos quem é o Senhor? Ou o quanto significamos para ele? Ou o quanto ele quer o melhor para nós?

Se o Rei dos reis e Senhor dos senhores o ama, que sentido faz você se rebaixar e dizer que não é bom o bastante para ter um relacionamento com ele? Você não estaria rebaixando justamente a pessoa que ele criou, por quem enviou seu Filho para morrer e cujo valor para ele é inestimável? Ele chama você de filho ou filha! Você é o filho ou a filha do Rei do universo!

Então, por que você não age como tal?

Existe um versículo maravilhoso em Cântico dos Cânticos que diz: "Peguem todas as raposinhas, antes que destruam o vinhedo do amor, pois as videiras estão em flor!" (Ct 2.15). Que raposinhas em sua vida estão arruinando seu vinhedo? O vinhedo que, se não fosse isso, floresceria? Por que as uvas que você colhe não estão como poderiam ou deveriam estar? Que questões você tem permitido que controlem sua vida ou tem ignorado? Que coisas pequenas separam você do amor de Deus e de aprofundar seu conhecimento sobre a real majestade do Senhor?

Quando você entende quem Deus é de verdade, tudo muda em sua vida. Pare para pensar: hoje é ilegal falar ao celular enquanto se dirige por uma rodovia ou pela cidade. Mas a qualquer momento e em qualquer lugar, você pode conversar com o Senhor do Universo. Na verdade, ele está esperando por sua conexão.

Ele é o Deus do universo, cheio de autoridade, diante de quem todo joelho no céu e na terra um dia se dobrará. Ainda assim, os olhos dele se concentram em você amorosamente, esperando ouvir sua voz.

Deus, porém, é um cavalheiro. Mesmo com toda a autoridade que possui, ele nunca forçará sua decisão de confiar nele, de entregar sua vida a ele. Ele apenas pede gentilmente que você confie nele e sempre procure compreendê-lo, para que tenha um relacionamento pessoal e crescente com ele por toda a eternidade.

Quando você entende quem é Deus, começa uma jornada maravilhosa rumo a uma fé inabalável e apaixonada, que ninguém é capaz de deter. Ela transformará sua vida e influenciará, sem sombra de dúvida, as pessoas ao seu redor.

Portanto, não caia naquela baboseira de "Deus falou e eu acredito. Está resolvido". Você merece mais.

E o Todo-Poderoso também.

Para pensar...

... não depende do seu próprio entendimento.
PROVÉRBIOS 3.5B

Se Jesus o visitasse hoje, que perguntas você faria?

Como a escolha de acreditar em Deus — em vez de se apoiar no próprio entendimento — muda suas possibilidades hoje?

Deus não quer que você lhe jogue os farelos.
Ele quer o pão inteiro.

9
Deus não é seu copiloto

Busque a vontade dele em tudo que fizer...
PROVÉRBIOS 3.6A

Algumas das melhores coisas que aprendi sobre Deus foi por meio do velho filme de comédia *Alguém lá em cima gosta de mim*. No final da década de 1960, havia um movimento de pessoas que acreditava que Deus estava "morto". Esse movimento deu origem ao filme alguns anos depois. John Denver é o protagonista e faz o papel de um subgerente de supermercado que questiona a existência de Deus. Então o próprio Deus encarnado (interpretado pelo comediante George Burns) escolhe John Denver para contar ao mundo que ele não está morto.

De imediato, uma série de coisas esquisitas começa a acontecer na vida de Denver. Ele fica completamente confuso e muito nervoso. Quando, por fim, ele se encontra com George Burns — "Deus" —, o diálogo entre os dois é mais ou menos o seguinte:

— Ok se você é Deus, faça algo divino — desafia Denver.
— Ah, algo como mudar o clima? — pergunta Burns.
— Sim — responde Denver. — Faça chover.

De repente, começa a chover dentro do carro. E *apenas* dentro do carro.

Denver então consente, maravilhado:
— Você é Deus![1]

Qual era o real pedido dele? "Se você é Deus, prove-me isso."

As pessoas que viviam na época de Jesus disseram a mesma coisa: "Se você é Deus, prove-nos isso". Jesus, o Filho de Deus, realizou incontáveis milagres enquanto caminhou por este mundo. Por que ele fez isso? As pessoas ouviram por anos que um Messias viria para salvá-las. Mas saber algo na cabeça e aceitar no coração são duas coisas completamente diferentes. Jesus era Deus na terra, enviado para caminhar, conversar e interagir com seres humanos, a fim de que percebessem com o coração que ele não somente existia como também ansiava por um relacionamento pessoal com sua criação.

"Se você é Deus, prove-me isso."

Entretanto, quando tentamos compreender Deus, costumamos colocá-lo dentro de uma caixinha, assim como John Denver, e dizemos (ou pensamos): "Se você é Deus, prove-me isso".

- Se você é Deus, resolva esta confusão toda em minha vida.

- Se você é Deus, cure do câncer esta pessoa que eu amo.
- Se você é Deus, encontre meu filho que fugiu de casa e traga-o de volta.
- Se você é Deus, consiga para mim aquela promoção no trabalho. Estou precisando muito do dinheiro.
- Se você é Deus, encontre um cônjuge para mim.
- Se você é Deus, faça meu cônjuge mudar.

Perceba, porém, que todas essas provas se baseiam no agora (curto prazo), não na eternidade (longo prazo).

De que provas você precisaria para acreditar que Deus é Deus? Para compreender a vasta natureza de quem ele é, de tudo o que fez e o fato de que ninguém o criou?

Aqueles que não entendiam essas coisas zombaram de Jesus enquanto ele agonizava pendurado na cruz. "Salvou os outros, salve a si mesmo, se é o Cristo, o escolhido de Deus" (Lc 23.35).

Os soldados também escarneceram dele: "Se você é o Rei dos judeus, salve a si mesmo!" (Lc 23.37).

A disciplina que Jesus demonstrou na cruz foi inacreditável. Ele tinha o poder extraordinário de Deus, o Criador do universo, em suas mãos. Como teria sido

> Como teria sido fácil para Jesus apenas levantar o dedo mindinho na direção deles e reduzi-los a cinzas.

fácil para Jesus apenas levantar o dedo mindinho na direção deles — *zzztttt* — e reduzi-los a cinzas.

Eu o teria feito se tivesse esse tipo de poder. É provável que você também. Sei que meu lado vingativo, que pensa "Agora vocês terão o que merecem", partiria para a retribuição depois de receber um tratamento assim.

Mas Jesus não acabou com eles. A única coisa que disse foi: "Pai, perdoa-lhes, pois não sabem o que fazem" (Lc 23.34). Ele estava focado na missão — naquilo que o Pai queria que ele fizesse. E isso era muito mais importante que zombarias e escárnios passageiros, e até mesmo que o tormento físico tremendo que enfrentou.

Todos nós sabemos qual é a coisa certa a se fazer, mas não fazemos. Não terminamos nossas missões. Somos desviados pelos acontecimentos da vida, sobrecarregados por fardos de expectativas e pelas reviravoltas difíceis da jornada.

Jesus foi perfeito, sem pecado. Nós, seres humanos, estamos longe da perfeição. Vamos falhar... e depois falhar de novo.

Recentemente, um homem veio me falar:

— Entendo o que você diz sobre Deus ser misericordioso quando falhamos, mas esta é a quinta vez que tento parar de fumar e falhei de novo. Já desisti.

— E daí? — perguntei. — Sou gordo e já fiz várias dietas. E houve uma ocasião em que comi uma torta inteira de uma vez. Sobre o que você quer conversar mesmo?

Muitos de nós continuam a se martirizar pelos fracassos. Colocamos Deus dentro dessa caixinha também: "Bem, se ele realmente é Deus, então não vai querer nada comigo, com tantas imperfeições".

Também há aqueles de nós com o ego muito lá em cima, mesmo sem perceber o tamanho de sua arrogância.

> "Sou gordo e já fiz várias dietas. E houve uma ocasião em que comi uma torta inteira de uma vez."

Outro dia, no trânsito, vi um carro com um adesivo que proclamava, com todo orgulho: "Deus é meu copiloto".

É mesmo? Deus é seu copiloto? Ele não é o piloto? Ele é "co" ou igual a você?

Acho que não, viu.

Se você não compreende quem é Deus, não é capaz de reconhecê-lo como o Criador poderoso do universo, que não precisa de você como copiloto para nada.

Quando entendemos quem é Deus e reconhecemos seu poder, podemos enfrentar uma das maiores perguntas feitas pela humanidade: se Deus está no controle, por que coisas ruins acontecem? Será que ele estava olhando para o outro lado quando um jovem casal e seus três filhos morreram atropelados no meio de um cruzamento por um motorista bêbado? Ou quando

> Deus é seu copiloto? Ele não é o piloto? Ele é "co" ou igual a você? Acho que não, viu.

a casa de seu vizinho idoso veio abaixo num incêndio por causa de problemas na fiação?

Ao criar o universo, Deus colocou em atividade determinadas leis físicas e espirituais. Portanto, se um motorista dirige na contramão, pessoas inocentes pagam por esse erro. Quando um eletricista toma decisões erradas ao fazer um serviço de fiação, a consequência é que seu vizinho perde a casa.

> Deus não controla a humanidade como se fôssemos marionetes, presos por um fio.

Deus não controla a humanidade como se fôssemos marionetes, presos por um fio. As coisas acontecem porque as leis físicas e espirituais que ele estabeleceu são violadas.

Deus é onisciente? Sim.

Onipotente? Sim.

Onipresente? Sim.

Porém, muitos de nossos males são resultado direto do livre-arbítrio e das escolhas humanas, que Deus permitiu. Informação interessante essa para todos nós que lutamos com o fato de coisas ruins acontecerem até mesmo com pessoas boas, não é mesmo?

O Deus a quem adoramos é maravilhoso. Ele é capaz de criar o narciso com todos os seus detalhes; é ele quem coloca aroma no jacinto. A criação é uma prova majestosa de seu poder. Esse mesmo Deus cercou a cidade de Tucson de montanhas extraordinariamente belas. Ele formou os oceanos e todas as criaturas marítimas que neles habitam. E você quer dizer que o Deus que fez tudo isso não é capaz de ajudar você nos problemas que enfrenta todos os dias?

"Dr. Leman, mas sou um operário insignificante que mora no interior do país. Por que Deus se importaria comigo?", você pode perguntar.

A verdade é que Deus enviou seu único Filho para morrer de maneira terrível numa cruz romana, a fim de que cada um de nós, *se o buscarmos*, possa passar a eternidade com ele no céu.

Isso é que é bom negócio, hein, Sr. Operário?

Mas ele é um Deus zeloso. Não é seu copiloto. Você não pode restringi-lo a uma caixa. Ele não precisa provar nada para você, que é criatura dele. E você não pode buscá-lo pela metade. Com Deus, é tudo ou nada.

Para pensar...

Busque a vontade dele em tudo que fizer...
Provérbios 3.6a

Você já fez o jogo de "Se você é Deus..." na tentativa de controlar o Senhor? Deu certo? Por que ou por que não?

Como o fato de reconhecer quem Deus realmente é pode ajudar você a entender as coisas ruins que acontecem a pessoas boas?

---

*Para reconhecer Deus, você precisa agir,
em vez de esperar um trovão cair do céu.*

10

A estrada menos percorrida... tem menos gente

... e ele lhe mostrará o *caminho* que deve seguir.
Provérbios 3.6b

Sempre amei o clássico poema de Robert Frost, "A estrada não trilhada". Fala sobre um viajante que se encontra num bosque, olhando para dois caminhos diferentes a fim de escolher qual vai percorrer. Ambos parecem bons, mas mesmo assim ele precisa tomar uma decisão — decisão esta que pode afetar sua vida no futuro.

Talvez você pense que um poeta famoso como Robert Frost tinha tudo na vida. Mas seu caminho foi cheio de surpresas, e nem todas elas felizes.

Robert Frost nasceu em San Francisco. Seu pai era jornalista e morreu quando Robert tinha 11 anos. Ele só conseguiu frequentar a faculdade por alguns meses e trabalhou em vários empregos, inclusive numa indústria têxtil e como professor durante os dez anos seguintes. Frost tentou enviar poemas para a revista *Atlantic Monthly*, mas eles foram enviados de volta com uma nota sucinta: "Lamentamos informar que *The Atlantic* não tem espaço para seus versos vigorosos".

Isso não era um elogio.

Depois de um tempo, vendeu sua fazenda e levou a esposa e os quatro filhos pequenos para a Inglaterra. Lá ele finalmente publicou sua primeira antologia, aos 39 anos de idade.[1]

Tudo isso serve para mostrar que o caminho da vida de ninguém é livre de obstáculos; toda vida tem surpresas... e até mesmo grandes bolas foras. Como a família na qual a filha de 15 anos está passando agora por sua sétima cirurgia. Ou o homem temente a Deus que caiu de um carrinho de golfe, danificou duas áreas do cérebro e agora luta para reaprender habilidades básicas enquanto a esposa trabalha em tempo integral para garantir o sustento da família e cria quase sozinha os quatro filhos pequenos. Ou a mulher que dedicou vinte anos de sua vida ao emprego que amava, só para ser traída por um supervisor invejoso que roubou o crédito por todo o trabalho que ela havia realizado e depois a demitiu. Ou o pai cuja esposa o deixara com duas filhas pequenas para poder "se descobrir".

Ninguém disse que a vida seria fácil. Mas, com perseverança e perspectiva de futuro, podemos passar pelos desvios da vida e voltar para o caminho certo. Não tenha dúvida: você *vai* fracassar em algumas coisas na vida. Há um motivo para a graça de Deus existir. Eu, por exemplo, preciso muito dela. Mas, quando você não conseguir trilhar o caminho reto, não invente desculpas. As desculpas só servem para tornar o fraco mais fraco ainda. Admitir quando e onde você errou é saudável. Coloca seu relacionamento com Deus e com as outras pessoas de volta no rumo certo.

> Há um motivo para a graça de Deus existir. Eu, por exemplo, preciso muito dela.

Mas deixe-me fazer uma pergunta: você sabe para onde está indo na vida? Está mirando, na medida do humanamente possível, em direção a seu destino? Ou apenas segue de placa em placa, na esperança de que a vida, de algum modo, faça sentido? Se você não conhece seu destino, não sabe sequer quando está fora da estrada.

Deus não se importa com seu sucesso exterior; ele se importa com seu compromisso com a fé e com os caminhos que ele o convida a percorrer. Portanto, quando sua estrada bifurcar e você tiver uma escolha a fazer, como Robert Frost em "A estrada não trilhada", que tal pensar nisso como uma oportunidade, em vez de uma crise?

Reconheça que você é responsável por seu próprio caminho, não pelo de ninguém mais. Este pequeno provérbio tem sido erroneamente citado por pessoas que acreditam que, se confiarem e orarem o suficiente, podem mudar os outros — como a mulher que me disse que continuaria em um relacionamento abusivo por "confiar que Deus mudaria aquele homem".

Posso ser franco? Há indivíduos e relacionamentos que não podem ser endireitados porque uma das pessoas do relacionamento não está disposta a mudar e é voluntariamente pecadora. *Pecado* não é uma palavra usada com frequência em nossa cultura, uma vez que as pessoas têm medo de fazer o outro se sentir culpado. Bem, há gente que precisa de uma boa dose de culpa. E outros que necessitam se defender e responsabilizar o malfeitor.

No entanto, se foi você que se afastou do caminho, há uma ótima notícia para celebrar: Deus nos dá a habilidade de entrar no caminho correto se estivermos no errado. Na verdade, ele deseja que façamos isso. E está esperando, de braços abertos, para nos receber.

Nunca é tarde demais para voltar ao caminho.

É só perguntar para Robert Frost. Ele sabe muito bem.

Para pensar...

... e ele lhe mostrará o caminho que deve seguir.
Provérbios 3.6b

Você acredita que pode haver mais de um "caminho correto" para você trilhar na vida? Por que ou por que não?

Como este livro mudou sua perspectiva sobre quem é Deus? Sobre como ele opera? Sobre seu relacionamento com ele?

Não é preciso temer os desvios no caminho da vida. Eles são apenas novas direções e novas oportunidades.

Um registro permanente

> ... e escreva-os no fundo do coração.
>
> Provérbios 3.3b

Quero deixar algo bem claro: se o céu não for divertido, não quero fazer parte dele. Em seu livro *O céu* (uma das obras que causou impacto significativo em minha vida e em meu modo de pensar), Randy Alcorn disse algo que me marcou muito: quando você entrar no céu, haverá uma fila de recepção. As pessoas que você mais ama é que estarão nela.

Caso você esteja se perguntando quem é que fará os preparativos para que isso aconteça, não se preocupe. Aquele que sabe quando um pardal cai no chão, conhece o número de fios de cabelo em sua cabeça e organiza o funcionamento do universo inteiro certamente pode organizar uma lista de convidados para você (Mt 10.29-31).

Tenho a convicção de que todas as pessoas estão neste mundo por um motivo. Eu costumava me desculpar por fazer brincadeiras em todos os lugares por onde passo. Até que, 25 anos atrás, percebi que o humor é um dom do Deus Todo-Poderoso, um legado que posso transmitir a outros. Desde então, um de meus objetivos de vida tem sido espalhar alegria, amar as pessoas e ajudá-las por onde vou. E quero fazer isso de todo o coração.

> Todas as pessoas estão neste mundo por um motivo.

Você realmente ama a Deus e os outros de todo o coração? Já escreveu Provérbios 3.1-6 no fundo do seu coração?

Cada um de nós terá um encontro com a morte um dia. O lugar para onde iremos se baseia no que norteava nosso coração.

Você é movido pelo desejo de ajudar os outros porque o Espírito de Deus habita em seu interior? As outras pessoas lhe vêm à mente antes de você mesmo? Ou você se concentra em si próprio e em sua família, sem pensar nos outros?

Aquilo que você faz em sua vida é importante. Importa para você, para as pessoas ao seu redor e para Deus também.

Seu modo de vida hoje é um legado para as gerações futuras. Com certeza, pensar nisso algumas vezes por dia ajudaria a colocar os acontecimentos na perspectiva correta, não é mesmo?

Provérbios 3.1-6 promete que, se você não esquecer os ensinamentos de Deus, guardar os mandamentos dele no coração, confiar no Senhor de todo o coração e o reconhecer em tudo o que fizer, receberá estas coisas para começar... e muito mais:

- Vida longa e realizada
- Prosperidade
- Uma boa reputação
- Caminhos retos

Essa é uma descrição poderosa de vida plena e satisfatória no caminho dos sábios. É sabedoria com um sorriso no rosto.

Eu garanto.

Notas

Capítulo 3
[1] "Effects of Stress: Deadly Stress — Seven Ways in Which Too Much Unrelenting Stress Can Kill You", NY Wellness Guide, <http://www.nywellnessguide.com/mind/090310-StressEffects.php>, acesso em 26 de março de 2011.
[2] Kevin Leman, *Acabe com o estresse anters que ele acabe com você: Um guia para mães à beira de um ataque de nervos* (São Paulo: Mundo Cristão, 2013).
[3] "Do Positive People Live Longer?", *HuffPost Contributor*, 11 de fevereiro de 2011, <https://www.huffpost.com/entry/positive-people-live-long_b_774648>. Acesso em 23 de julho de 2019.

Capítulo 4
[1] "Quotations for Sweetest Day", The Quote Garden, <http://www.quotegarden.com/sweetest-day.html>. Acesso em 23 de julho de 2019.

Capítulo 6
[1] United States Attorney Southern District of New York, "Bernard

L. Madoff Charged in Eleven-Count Criminal Information", 12 de março de 2009, <https://www.justice.gov/archive/usao/nys/pressreleases/March09/madoffbernardinformationpr.pdf>. Acesso em 23 de julho de 2019.

[2] Extraídas de "John Wooden Quotes", Brainy Quote, <http://www.brainyquote.com/quotes/authors/j/john_wooden.html>, <http://www.brainyquote.com/quotes/authors/j/john_wooden_2.html>, e "John Wooden: Quotes", Goodreads, <http://www.goodreads.com/author/quotes/23041.John_Wooden>. Acesso em 23 de julho de 2019.

Capítulo 7

[1] "Crer e observar", traduzido por Salomão Luiz Ginsburg do original de John H. Sammis ("Trust and Obey"), Cantor Cristão, 10ª ed. (Rio de Janeiro: Juerp, 1995), hino 301.

Capítulo 9

[1] *Alguém lá em cima gosta de mim* [título original: *Oh, God!*], dirigido por Carl Reiner (Burbank, CA: Warner Bros. Pictures, 1977).

Capítulo 10

[1] "Robert Frost Biography", Famous Poets and Poems, <http://famouspoetsandpoems.com/poets/robert_frost/biography>. Acesso em 23 de julho de 2019.

Obras do mesmo autor:

Acabe com o estresse antes que ele acabe com você
A diferença que a mãe faz
É seu filho, não um *hamster*
Direto ao ponto
Entre lençóis
Mãe de primeira viagem
Mais velho, do meio ou caçula
O que as lembranças de infância revelam sobre você
O sexo começa na cozinha
Sete segredos que ele nunca vai contar pra você
Transforme a si mesmo até sexta
Transforme seu adolescente até sexta
Transforme seu filho até sexta
Transforme seu marido até sexta
Transforme sua família em cinco dias
Meu filho do coração

Compartilhe suas impressões de leitura,
mencionando o título da obra, pelo e-mail
opiniao-do-leitor@mundocristao.com.br
ou por nossas redes sociais

Esta obra foi composta com tipografia Palatino
e impressa em papel Pólen Soft 70 g/m² na gráfica Assahi